ATELIÊ DO PENSAMENTO SOCIAL

ATELIÊ DO PENSAMENTO SOCIAL
PRÁTICAS E TEXTUALIDADES
Pensando a pesquisa e a publicação em ciências sociais

CLÁUDIO COSTA PINHEIRO
BERNARDO BUARQUE DE HOLLANDA
JOÃO MARCELO EHLERT MAIA
(ORG.)

FGV EDITORA

Copyright © Cláudio Costa Pinheiro, Bernardo Buarque de Hollanda, João Marcelo Ehlert Maia

Direitos desta edição reservados à
Editora FGV
Rua Jornalista Orlando Dantas, 37
22231-010 | Rio de Janeiro, RJ | Brasil
Tels.: 0800-021-7777 | 21-3799-4427
Fax: 21-3799-4430
editora@fgv.br | pedidoseditora@fgv.br
www.fgv.br/editora

Impresso no Brasil | Printed in Brazil

Todos os direitos reservados. A reprodução não autorizada desta publicação, no todo ou em parte, constitui violação do copyright (Lei nº 9.610/98).

Os conceitos emitidos neste livro são de inteira responsabilidade do(s) autor(es).

Coordenação editorial e copidesque: Ronald Polito
Revisão: Marco Antonio Corrêa e Sandro Gomes dos Santos
Capa e diagramação: Ilustrarte Design e Produção Editorial
Imagem da capa: the palms / Shutterstock.com

Ficha catalográfica elaborada pela
Biblioteca Mario Henrique Simonsen/FGV

Ateliê do pensamento social : práticas e textualidades: pensando a pesquisa e a publicação em ciências sociais / Cláudio Costa Pinheiro, Bernardo Buarque de Hollanda, João Marcelo Ehlert Maia (organizadores). – Rio de Janeiro : FGV Editora, 2015.
160 p.

Trabalhos apresentados na quarta edição do Ateliê do Pensamento Social, realizada em 2014 na Fundação Getulio Vargas.
Inclui bibliografia.
ISBN: 978-85-225-1757-2

1. Pesquisa social. 2. Publicações científicas. 3. Cientistas sociais. 3. Literatura. I. Pinheiro, Cláudio Costa. II. Hollanda, Bernardo Borges Buarque de, 1974- . III. Maia, João Marcelo Ehlert. IV. Fundação Getulio Vargas.

CDD – 300.72

Sumário

APRESENTAÇÃO
Práticas e textualidades: pensando a pesquisa
e a publicação em ciências sociais   7
Cláudio Costa Pinheiro

CAPÍTULO 1: Sistemas universitários no Oriente Árabe:
publicar globalmente e perecer localmente *versus*
publicar localmente e perecer globalmente   19
Sari Hanafi

CAPÍTULO 2: Publicação acadêmica internacional e o lugar
do Brasil na sociologia global   47
Eloísa Martín

CAPÍTULO 3: Projeções do contemporâneo na ficção
latino-americana   71
Wander Melo

CAPÍTULO 4: De como o povo entra na história:
uma leitura de *A integração do negro na sociedade
de classes* em seu cinquentenário   83
Mário Augusto Medeiros da Silva

CAPÍTULO 5: A investigação social: projeto, prática
e reflexividade   103
Juan Piovani

CAPÍTULO 6: Pesquisa recente sobre pensamento social
no Brasil: notas sobre perfis de pós-graduandos
e investigações em andamento   127
Cláudio Costa Pinheiro

| SOBRE OS AUTORES | 143 |

ANEXO
Ateliê do Pensamento Social	147
Programas e participantes, 2011-14	147
Biodata dos participantes	151

Apresentação

Práticas e textualidades
Pensando a pesquisa e a publicação em ciências sociais

Cláudio Costa Pinheiro

EM MEADOS de setembro de 2014 realizamos o 4º Ateliê do Pensamento Social, iniciativa surgida nos quadros do Laboratório de Pensamento Social (Lapes), um dos núcleos de pesquisa da Escola de Ciências Sociais da Fundação Getulio Vargas (FGV). Esse evento foi o último de uma série — denominada *Ideias, textos e conceitos: novas perspectivas comparativas* —, produto de uma conjunção de esforços e interesses de pesquisadores estabelecidos e de uma nova safra que chegava àquela instituição.

Em grande medida, o Ateliê foi produto de mudanças que aconteciam nesse núcleo de pesquisas, bem como na própria Escola de Ciências Sociais. Até 2009, o debate sobre pensamento social esteve organizado em torno do Laboratório de Estudos Brasileiros (LEB). No ano seguinte mudou de nome e de escopo, passando a chamar-se Lapes, com o intuito de agregar interesses de pesquisadores que trabalhavam com uma agenda genericamente reconhecida como do *pensamento social*, mas aí para além das fronteiras brasileiras.

Assim, desde 2010, as atividades do Lapes passaram a incorporar essa dimensão de uma reflexão menos *provincializada* — para usar a oportuna metáfora de Dipesh Chakrabarty — das agendas sobre teoria social e de uma sociologia histórica do pensamento social. A partir daquele ano, realizamos uma série intensa de eventos — mormente palestras e conferências, com convidados brasileiros e estrangeiros — que ajudaram a revigorar a visibilidade desse núcleo e, especialmente, reestruturar a agenda de pesquisas de alguns de seus pesquisadores. Tivemos a satisfação de ouvir e debater comunicações de Raewyn Connell (U. Sidney/Austrália), Sérgio Costa (Freie U./Berlim), Fernanda Beiguel (U. Cuyo/Argentina), Sujata Patel (U. Hyderabad/Índia), Manuel Villaverde Cabral (ICS/Lisboa), Silviano Santiago, Adalberto Cardoso (UFF), Paulo Moreira (Yale), Rubens Ricupero, Luiz Werneck Vianna (PUC-RJ), Luiz Costa Lima (PUC-RJ) e tantos outros.

Em 2010 e 2011, realizamos um grupo de leituras sobre teorias da periferia no qual discutimos algumas contribuições da historiografia indiana, da sociologia de Malásia e Cingapura, e de cientistas sociais e economistas latino-americanos. O Grupo de Leituras, uma empreitada do Núcleo de Estudos Periféricos e Cooperação Sul (um coletivo de pesquisadores de várias instituições), havia acontecido em 2009 na pós-graduação do CPDA e, em 2008, na Unicamp, onde estive como pós-doutor. Na Escola de Ciências Sociais, essa iniciativa foi organizada por mim em parceria com João Maia e Guilherme Leite Gonçalves (atualmente, professor da Uerj). A princípio, as leituras serviam ao nosso próprio consumo, mas logo incorporamos alunos da casa, além de colegas pesquisadores e estudantes de outras instituições.

É nesse contexto que surgiu o Ateliê do Pensamento Social. A empreitada confiava num acúmulo de realizações e no bom entrosamento dos organizadores do Lapes, Bernardo Buarque de Hollanda, Cláudio Costa Pinheiro, Helena Bomeny e João Marcelo Maia. Foi construído a partir do convívio, do debate sistemático de uma literatura que pretendia renovar nossos olhares sobre os caminhos que as ciências sociais vinham tomando internacionalmente.

Ao longo desses quatro anos, o Ateliê se firmou como um evento reconhecido no cenário nacional, somando-se a reuniões de GTs das associações de classe (principalmente da Anpocs e da SBS) na área de pensamento social. Vários colegas pesquisadores de outras instituições mostraram interesse por acompanhar os debates, por compartilhar suas pesquisas em andamento e incentivaram seus orientandos a enviarem seus trabalhos.

Para os pós-graduandos que frequentaram, submetendo seus projetos e capítulos de tese e dissertação em andamento, o Ateliê procurou oferecer um espaço de diálogos continuados, exemplificando os dilemas de pesquisa a partir de nossos próprios trabalhos e de pesquisas apresentadas pelos conferencistas. Pudemos estimar o sucesso dessa tentativa, não apenas nos depoimentos diretos dos próprios alunos que frequentaram, mas de alguns de seus orientadores.

Ao longo desses quatro anos, outras mudanças aconteceram na realização do Ateliê. Nas duas primeiras edições o evento foi organizado por Helena Bomeny, Bernardo Buarque de Hollanda, João Maia e Cláudio Pinheiro. A partir de 2012, Helena Bomeny já não mais fazia parte dos quadros da Escola de Ciências Sociais (demitida juntamente com outras pesquisadoras fundadoras do antigo CPDOC, como Ângela de Castro Gomes, Dora Rocha, Ignez Cordeiro de Farias, Marly Motta e outras), mas esteve generosamente presente nas palestras e reuniões do evento. Em 2013, menos de uma semana após a realização do 3º Ateliê do Pensamento Social, eu mesmo fui injustamente demitido com a colega Dulce Pandolfi, acirrando uma grave crise nessa instituição, que se desenrolava, silenciosamente, intramuros havia alguns anos. Entre 2011 e 2014, mais de 15 pesquisadores/as foram demitidos/as ou saíram "voluntariamente", como resultado desse processo. Em 2014, mesmo sob essas circunstâncias, e já não fazendo parte da Escola de Ciências Sociais da FGV, honrei o compromisso de organizar essa edição do evento e a presente publicação.

A edição de 2014 foi, mais uma vez, bem-sucedida. Tivemos a presença significativa de público nas palestras e um alto nível de discussões de bons projetos de pesquisa de diversas instituições. Também lançamos o livro *Ateliê do Pensamento Social: ideias em perspectiva global* (Editora da FGV, 2014), contendo os textos das conferências do 2º Ateliê do Pensamento Social, de 2012. Pela segunda vez, Marianna Poyares, professora substituta no departamento de Filosofia da UFRJ, foi assistente de organização (na prática, coorganizadora do evento) cuidando de todas as praticalidades do seminário. Sem sua participação não teríamos conseguido realizar um evento tão produtivo.

Este livro

Uma das motivações para a escolha do tema da edição de 2014 do Ateliê do Pensamento Social — Práticas e textualidades: pensando a pesquisa e a publicação em ciências sociais — foi a centralidade que vem ganhando o tema das publicações, em comparação com outros aspectos inerentes à vida acadêmica, na última década e meia. Não propriamente as publicações de maneira geral, mas determinado formato específico de publicações, em um determinado modelo e conjunto específico de periódicos. Essa circunstância tem produzido um impacto não desprezível no campo, afetando mais especialmente profissionais em fase de formação de países periféricos, público preferencial do Ateliê.

Escrever e publicar são práticas fundamentais e inerentes à vida intelectual. Constroem possibilidades de diálogo e dão perenidade às ideias. Ocorre que, em tempos muito recentes, essas práticas sofreram mudanças dramáticas. Não se trata mais, apenas, de expor as ideias em uma arena pública de debates, mas de publicar em um conjunto específico de veículos e a partir de formatos restritos de redação: periódicos acadêmicos organizados a partir de mecanismos nacionais e internacionais de indexação (muitas vezes não coincidentes) e fórmulas de escrita específicas e restritas. A situação se vê acirrada pela presença ativa de um número limitado de editoras comerciais controlando o mercado global de periódicos acadêmicos, organizados a partir do que se compreende como uma fase renovada de "internacionalização".

Essa circunstância vem impactando fortemente a estrutura e as rotinas da prática científica na qual determinadas atividades passaram a ser hipervalorizadas em detrimento de outras, igualmente relevantes e inerentes à vida acadêmica. Esse impacto pode ser observado em diversos níveis. Por um lado, rotinas como a docência, a formação de outras gerações de profissionais, a realização de produtos não escritos da atividade reflexiva (ainda que feitos públicos por outras vias), o trabalho como intelectuais públicos(as), a organização e a participação em eventos, consultorias para organizações governamentais e não governamentais, a produção de leituras críticas de manuscritos de artigos e projetos de pesquisas como pareceristas de periódicos e agências de fomento, além de tantas outras atividades vêm, mais e mais, perdendo relevância e prestígio.

Este quadro tem afetado fortemente as práticas da vida acadêmica, fazendo com que toda uma sorte de compromissos profissionais venha se tornando invisível ou irrelevante à contabilidade dos currículos, particularmente aquelas que contribuíam para uma compreensão de que a produção de conhecimento é parte de uma empreitada coletiva de equipes, comunidades epistêmicas e do campo. Estas práticas, em especial, vêm perdendo relevância diante de atividades que valorizam a autoria individual, egoica. Na realidade, as atividades continuam a se realizar por parcerias ou esforços extraindividuais, mas a contabilidade dessas ações vem reforçando, ainda mais, a verticalidade da estrutura hierárquica da academia com práticas que subsumem e diluem a participação coletiva na produção de conhecimento. Essa situação afeta mais dramaticamente profissionais de países periféricos do Sul Global e em estágios iniciais da carreira, mais vulneráveis nessa estrutura. Efeitos perversos da renovação de hierarquias das práticas profissionais se fazem visíveis e dramáticos, mas reações em contrário ainda são tímidas. Esse processo tem consolidado uma modalidade de intelectuais menos disponíveis para os compromissos coletivos regulares da vida universitária e comprometidos, exclusivamente, com suas agendas pessoais de pesquisa e publicação.

Recentemente, um ex-aluno, atualmente no primeiro semestre de seu mestrado em uma prestigiada instituição carioca, narrava, exaurido, o excesso de compromissos a que estava submetido. O pior, dizia, são as aulas que está obrigado a ministrar na graduação. Surpreso, indaguei se, agora, as agências brasileiras de fomento tinham passado a exigir estágio docente para bolsistas de mestrado: "Não, professor! É que essa cadeira é ministrada por um professor, mas ele diz que tem que publicar e não tem tempo para dar aulas, aí passou a tarefa para um pós--doutorando que tá lá no Programa, mas ele não podia dar aula por conta da sua pesquisa, daí falou para um doutorando dar, e ele, por fim, me disse que eu deveria ministrar essas aulas".

Embora casos como estes nunca tenham sido exatamente estranhos, têm se tornado mais comuns e fizeram com que as recentes reorientações de prioridades de atividades acadêmicas tenham impactado trajetórias intelectuais e produzido uma desvalorização importante de outras práticas inerentes à vida universitária e científica. Este estado de coisas tem consagrado acadêmicos comprometidos a realizar toda uma ampla série de atividades (pesquisa, orientação, ensino, extensão, publicação e trabalho administrativo) e outros que fazem escolhas nem sempre lícitas ou justas com a coletividade das instituições, mas que acabam sendo legitimadas pela pressão pela publicação e pelo peso que ela tem nas avaliações de pós-graduações. Impossível não considerar o impacto que isso gera na formação de novos quadros acadêmicos, onde alunos de pós-graduação em estágios mais avançados são postos a lecionar para colegas em estágios ainda levemente inferiores. Os resultados desse experimento serão visíveis no curto prazo, quando muitos desses alunos de graduação que têm aulas apenas com mestrandos queiram ingressar ao mestrado, e quando esses alunos de mestrado que, tendo a bolsa para dedicação exclusiva para a pesquisa da sua dissertação, queiram apresentar projetos de doutorado.

Mesmo a escrita e a publicação passaram por um processo de redução semântica e da relevância de acordo com o formato e o contexto onde um manuscrito termina impresso. Capítulos de livros ou mesmo a edição de livros são hoje muito menos valorizados, pelo menos nas contas de agências brasileiras de fomento, como a Capes, do que artigos publicados em determinados periódicos, o que reduz consideravelmente o escopo do que, publicado, seja considerado relevante. Há mais periódicos acadêmicos, há mais artigos sendo publicados, menos tempo para efetivamente lê-los e a qualidade nem sempre é o elemento indexador. Muitos periódicos importantes de várias áreas não têm tanta familiaridade com as regras de mecanismos de "duplo parecer cego" (*blind peer--reviewers*), o que acaba reforçando redes de aliança ou contraprestação na circulação e publicação de manuscritos. Isso tem acontecido tanto no nível local, quanto internacional, tanto entre periódicos pequenos, quanto consagrados.

Outro efeito colateral dessa circunstância tem sido uma certa "reengenharia" ou "flexibilização" da ética profissional. "Requentar" publicações antigas e mesmo o plágio (se apropriar de ideias alheias) têm se tornado práticas mais comuns. Alguns colegas têm muito menos pudor, por exemplo, em assinar artigos (como autores principais) em coautoria com um orientando/a ainda em formação (muitas das vezes a partir do trabalho monográfico de pesquisa do/a orientando/a), ou de montar grupos de bolsistas e orientandos como mão de obra hiperespecializada e, na maior parte das vezes, não remunerada para coletar dados e redigir versões preliminares de artigos.

Esse quadro tem consequências globais, afetando mais fortemente contextos periféricos do que centrais, mais países de renda média e baixa do que desenvolvidos. É muito mais difícil para acadêmicos do Sul Global se adequar aos custos (intelectuais e financeiros) de produzir conhecimento a partir de parâmetros e formatos desse mercado dos países centrais. Isso tem reforçado clivagens na manutenção de estruturas internacionais de dependência acadêmica amplamente denunciadas por autores como Farid Alatas, Raewyn Connell, Fernanda Beigel, Sérgio Costa e tantos outros.

O compromisso da universidade e da produção científica com a inclusão, redução da desigualdade e formação de quadros vem sendo desvalorizados em relação a práticas muito específicas de escrita e publicação.

Os palestrantes que participaram nessa 4ª edição do Ateliê estão na trincheira da discussão desses temas espinhosos. Não apenas por se dedicarem à reflexão objetiva dessas circunstâncias, bem como à denúncia desse tipo de condição perversa da produção de conhecimento e à proposição de alternativas a esse modelo, mas, também, por militarem simultaneamente na vida intelectual como pesquisadores e docentes, em associação ao trabalho de editores. Sari Hanafi, Wander Melo e Eloísa Martín têm uma longa trajetória como editores e possuem, ademais, a autoridade de quem tem que se embater, na prática, com problemas de se adequar e criticar essa estrutura das publicações.

Certamente, a presente publicação não resolve esse dilema, mas apresenta algumas reflexões sobre as atividades de pesquisa e publicação. O livro conta com seis capítulos. Cinco textos correspondendo ao tema das palestras ministradas no primeiro dia de evento e um pequeno e despretensioso *survey* que realizei com reflexões a respeito dos perfis de novos profissionais e de trajetórias de pesquisa na área do pensamento social no Brasil, observados a partir dos mais de 100 trabalhos apresentados por cerca de 90 pós-graduandos de 30 diferentes instituições brasileiras, frequentes desses quatro anos de evento.

Os capítulos 1 e 2 estão bem orientados ao tema do Ateliê 2014. Sari Hanafi nos ofereceu uma versão de um texto já consagrado que discute três fatores principais associados ao sistema universitário: a compartimentalização das atividades acadêmicas, a abdicação das universidades de seu lugar na esfera pública e de como os critérios de publicação contabilizam na promoção e/ou no ostracismo de carreiras. Ele revisita esses tópicos a partir de longa pesquisa, mas concentra-se no último aspecto, ressaltando a importância das publicações num jogo de visibilidade e invisibilidade, de glória e perecimento, que separa intelectuais e instituições localizadas nos centros e nas periferias acadêmicas do Sul Global. Hanafi conduziu longa pesquisa de campo entrevistando intelectuais, analisando CVs e publicações no mundo árabe, especialmente no Egito, Síria, territórios palestinos, Jordânia e Líbano.

Ele também analisa como alguns fatores-chave operam na compartimentalização de comunidades acadêmicas, considerando: o papel da língua nas possibilidades de interação; a importância do tema e do tipo de pesquisa social no isolamento de intelectuais; a abdicação da universidade de seu lugar como esfera pública; os sistemas de ranqueamento nos procedimentos de promoção de carreiras. Esses aspectos, argumenta Sari Hanafi, demonstram o papel do sistema de promoção de carreiras no surgimento de novas prioridades para a pesquisa e iluminando uma discussão sobre a formação de elites, considerado um jogo que opera na valorização ou na ruína de academias nacionais.

O artigo de Eloísa Martín segue a mesma toada. Seu capítulo é produto de uma pesquisa intensa com já dois anos de realização, onde a autora argumenta pela urgência de observarmos o lugar, a função social e a relevância das publicações no meio acadêmico. Seu foco resta na análise de práticas de escrita e publicação dos *professores* brasileiros de sociologia, considerando a relação entre produção e circulação de conhecimento em ciências sociais, tomadas desde suas práticas de publicação.

Seu argumento se organiza a partir de algumas tensões que estruturam as atividades no campo: de profissionais contratados como professores que realizam tarefas de pesquisadores (*i.e.*, cientistas) e são avaliados como escritores, sem que sejam remunerados para tal; da redução da atividade de escrita e publicação acadêmica a uma atividade individual, ocultando seu caráter "sistemático, coletivo e, em algum sentido, polifônico" e reforçando a crença da excepcionalidade individual do "gênio", aspectos que camuflam práticas profissionais e escolhas estratégicas de redução dos riscos e exposição ante a coletividade do campo.

O capítulo de Eloísa Martín oferece dados recentes sobre a circulação de intelectuais brasileiros, estratégias de publicação e ranqueamento de periódicos (nacionais e internacionais), aspectos ligados à retórica da "internacionalização". Seu texto mostra como determinadas iniciativas das agências de fomento brasileiras em prol da internacionalização da produção intelectual local terminaram reforçando o inverso, o paroquialismo acadêmico.

Na mesma linha de análise sobre estratégias, cânones e representações da escrita, Wander Melo Miranda analisa processos de legitimação textual de textos literários latino-americanos contemporâneos. Seguindo esse percurso, Wander Melo examina a articulação entre experiência vivida, produção ficcional e organização social, observando estratégias literárias de sistemas nacionais e transnacionais, com especial interesse para espaços de fronteira entre tradições literárias e culturais.

Analisando escritos de uma série de autores literários brasileiros e latino-americanos, Wander se questiona sobre como as literaturas da região, em especial do Brasil, operam como alegorias do nacional. Em outras palavras, em que momento a literatura deixa de ter pretensões de "mediadora privilegiada entre a sociedade e o Estado"? Miranda faz uma imensa resenha de autores e títulos contemporâneos da ficção latino-americana, apontando exemplos de estratégias discursivas que tencionam essa circunstância e amparam um olhar crítico do abandono de um ideal Moderno que atrelava o nacional ao novo.

Mário Augusto Medeiros prestigiou a 4ª edição do Ateliê e a presente publicação com um texto que reflete sobre o jubileu de *A integração do negro na sociedade de classes*, de Florestan Fernandes. Medeiros reconstitui parte do processo de investigação e escrita do livro, relacionando-o com o campo de debates a respeito dos temas que enquadravam essa discussão na sociologia brasileira: o negro, relações raciais e os limites de uma sociedade constituída por uma ordem burguesa que embute uma impossibilidade de realização democrática plena, a partir de um sistema social mais justo e inclusivo.

Mário Augusto realiza uma belíssima exegese da obra, remetendo a discussão sobre a possibilidade a respeito da inclusão e do potencial de insurgência dos *subalternos* numa ordem burguesa — tema que também Wander Melo enuncia. Tema clássico, agenda gramsciana consagrada pela leitura marxista atenta dos indianos do coletivo dos *Subaltern Studies* entre os anos 1980 e 2000, mas também, não podemos esquecer, um dos tópicos centrais da agenda política do Brasil Colônia e Império. No processo de mapear e destrinchar os argumentos do livro, o autor oferece muitas janelas de interpretação e possibilidades de diálogo com outras diversas literaturas. Sua conclusão aponta para o drama que a publicação encerra, tanto o drama social da integração de classes subalternas e, em especial, do negro, e da vida pessoal de Florestan, cassado pela ditadura e se questionando, descrente, sobre a capacidade de uma civilização moderna (integrativa) nos trópicos.

Além da reflexão sobre as escolhas na priorização das publicações e seu impacto, nas carreiras individuais, nas instituições e no campo, o artigo de Juan Piovani aponta para outra direção: a das prioridades de métodos e rotinas de pesquisa. Piovani observa percursos de construção de argumentos de uma investigação, considerando que procedimentos os cientistas realizam (ou dizem realizar) quando pesquisam. Por um lado, o capítulo realiza uma interessante discussão sobre rotinas, prioridades e escolhas (conscientes ou não) que pesquisadores realizam no desenho e execução de uma investigação científica. Por outro, e considerando que a audiência preferencial do Ateliê é de profissionais em formação e que, em grande medida, os programas de pós-graduação brasileiros não normalmente oferecem treinamento sistemático em métodos de pesquisa, o artigo de Juan igualmente cumpre para diminuir essa lacuna para nossos leitores.

Conclusões

Para além de debater pesquisas em andamento, a empreitada do Ateliê procurou criar um espaço de interlocução para um momento de liminaridade da formação de novas gerações de intelectuais: a pós-graduação. Nessa fase devem se fazer escolhas e investir na capacitação de uma série de habilidades pelas quais não serão explicitamente cobrados em suas teses e dissertações, mas que definirão sua trajetória profissional futura — o aprendizado de técnicas didáticas para o ensino, frequência e apresentação de trabalhos em seminários, escrita de diferentes modalidades de texto acadêmico, formação de e/ou inserção em redes, a captação de recursos para o financiamento à pesquisa etc. Embora o aprendizado dessas habilidades deva acontecer durante a pós-graduação, há pouco investimento das instituições nesse sentido.

Programas de pós-graduação investem pouco, de maneira assistemática e desigual em cursos de formação de métodos de pesquisa e habilidades acadêmicas. Mesmo o treinamento em técnicas de escrita acadêmica ou de estratégias de captação de recursos são virtualmente inexistentes no Brasil. Ademais, como apontou Raewyn Connell (1985:38), há o suposto de que o aprendizado de todas essas qualidades de pesquisador e professor realizem-se de maneira quase autodidática, ou, por "osmose", a partir do convívio com "grandes mentes ilustradas". Ao fim e ao cabo, o comprometimento oficial com o programa a que temporariamente afiliado é, unicamente, o da realização de uma pesquisa que resultará na redação de uma monografia final e em um título.

Assim, esse momento da formação acaba gerando grande tensão pela contradição de se demandar um profissional qualificado em várias habilidades, das quais será imediatamente cobrado no final da formação (e que efetivamente definirão o futuro imediato da sua possiblidade de inserção profissional) e, simultaneamente, produzir uma investigação inédita para concluir sua pós-graduação. Na 3ª edição do Ateliê, em 2013, eu mesmo ministrei uma palestra sobre a circulação internacional de recursos para a produção científica e apresentei orientações de redação de projetos para agências de financiamento. Já em 2014, a edição do Ateliê priorizava totalmente o debate reflexivo e de ferramentas de escrita de textos acadêmicos. Tivemos palestrantes especialistas em métodos, sociólogos que vêm refletindo sobre a escrita e atuando como editores.

No Ateliê procuramos colaborar não apenas com o progresso de investigações que se desenvolviam — observando questões metodológicas, estratégias de investigação, opções teóricas etc. —, bem como acompanhar as próprias trajetórias profissionais de seus autores enfatizando questões do financiamento a pesquisa, de formas da escrita, publicação, recepção e circulação de textos.

Ficamos felizes com o resultado desses quatro anos de empreitada e agradecemos a todas e todos que participaram como conferencistas, pós-graduandos e público.

Cláudio Costa Pinheiro

Referência

CONNELL, R. How to supervise a PhD. *Australian Universities Review*, v. 28, n. 2, 1985, p. 38-41.

CAPÍTULO 1

Sistemas universitários no Oriente Árabe: publicar globalmente e perecer localmente *versus* publicar localmente e perecer globalmente*

Sari Hanafi[1]

DESDE O trabalho seminal de Pierre Bourdieu, *Homo academicus* (1984), muitos autores têm se interessado pelo papel da educação superior e dos sistemas universitários na formação de elites, uma vez que o sistema de ensino superior moderno tem sido um importante espaço de embates pela produção de cultura e pelas desigualdades sociais (Ringer, 1991; Sabour, 1988). No mundo árabe, existem diferentes tipos de universidades (públicas, seletivas e comerciais) que produzem diferentes tipos de elite com elos mais fracos ou mais fortes com as sociedades que as rodeiam.

Neste texto, não me aprofundo nas novas elites emergentes no Oriente Árabe, mas antes procuro demonstrar como o sistema universitário e o sistema de produção de conhecimento científico-social influenciam enormemente a formação de elites. Muitos elementos estão em jogo, entre eles o sistema de admissão, novos processos tais como a certificação de autoridade e competência, a atualização curricular, as tarefas administrativas, os serviços comunitários e as habilidades de angariação de fundos, mas também a publicação, que permite aos estudiosos competirem por promoções acadêmicas e institucionais. Para efeitos deste artigo, abordo três fatores associados ao sistema universitário: a compartimentalização das atividades acadêmicas, o desaparecimento

---
* Tradução de Fernanda Volkerling, revisão de Cláudio Pinheiro.
[1] Sou grato a Cynthia Myntti, Charles Harb e Munir Bashshur por suas críticas e sugestões imensamente úteis à versão inicial deste artigo. Uma versão estendida foi publicada em inglês em *Current Sociology*, Sage, International Sociological Association, v. 59, n. 6, de 2011.

da universidade como interlocutor da esfera pública e os critérios de publicação que contam para as promoções. Este último fator é o foco principal deste artigo.

A publicação é de fato o instrumento central de comunicação da atividade científica. Ela está diretamente implicada na difusão do conhecimento, no treinamento e na avaliação de pesquisadores por seus pares. O ato de publicar tem sido amplamente estudado a partir de uma perspectiva avaliativa, pela produtividade de cientistas e laboratórios, por países etc. (Arvanitis e Gaillard, 1992; Waast, 1996). No entanto, poucos autores (Alatas, 2003; Keim, 2008, 2011) têm, de fato, examinado essa circunstância desde a perspectiva de uma estrutura de poder. O presente estudo procura reconsiderar o *status* da publicação, não apenas trazendo-a à cena como um elemento na construção de práticas de pesquisa (o estágio final do processo de investigação), mas também como um espaço estruturado que molda a própria prática de pesquisa (um elemento central que determina tanto o tema da pesquisa quanto o tipo de análise e de escrita).

Em relação a tais questões investigativas, este artigo analisa somente a produção nas ciências sociais. Há uma diferença significativa na reflexividade entre as ciências naturais, onde o objeto da investigação é menos comprometido com o local, e as ciências sociais, onde os níveis de abstração são mais baixos. A pesquisa em ciências naturais está passando por um processo de internacionalização (Larédo et al., 2009), por meio de grandes programas científicos europeus e norte-americanos que estabelecem equipes internacionais e com frequência dependem de investigadores provenientes de países não hegemônicos. Em contraste, a pesquisa social é frequentemente local, mesmo que dependa de financiadores internacionais.

Este artigo é baseado em uma gama variada de dados e trabalhos de campo. Primeiro conduzi entrevistas no Oriente Árabe (Egito, Síria, Territórios Palestinos, Jordânia e Líbano) com 23 cientistas sociais sobre suas práticas de autoria e participação na avaliação dos colegas para promoções na carreira. As entrevistas foram organizadas em torno dos seguintes tópicos: histórias pessoais de pesquisa e publicação, importância da escrita, variedade de tarefas realizadas no processo de pesquisa e processos de tomada de decisão nas revistas acadêmicas. Em segundo lugar, analisamos extensivamente 203 currículos de pesquisadores do Egito, Jordânia, Síria, Líbano e do Território Palestino. Esses currículos foram coligidos nos últimos quatro anos por meio de pesquisa em sites de universidades, em conjunto com currículos dos consultores fornecidos pelo departamento de recursos humanos da ONU, bem como daqueles que submeteram manuscritos para publicação na revista acadêmica *Idafat — The Arab Journal of Sociology*, da qual sou editor. Uso tais currículos para verificar o idioma de publicação, o canal de publicação, a proporção entre artigos publicados, artigos de jornais e relatórios inéditos e, finalmente, a participação em conferências, workshops, palestras públicas e acadêmicas. Essa amostra não pode ser considerada de forma alguma representativa da comunidade acadêmica de estudos sociais do Oriente Árabe, portanto não usarei porcentagens em minha análise.[2] Em terceiro lugar, examinei a grade curricular de 30 cursos de ciências sociais lecionados nas universidades de Saint Josef, na Lebanese American University (LAU) e na American University of Beirut (AUB). Em quarto lugar, considerei diversas publicações, incluindo relatórios anuais de universidades e publicações da ONU em busca das características de cada uma e das fontes utilizadas em referências. Finalmente, reflito sobre minha experiência pessoal acerca do debate internacional em curso sobre as questões abordadas neste artigo. Como editor do *Idafat* e membro do conselho da *al-Mustaqbal al-Arabi* (uma revista de ciências sociais com pareceristas, que alcança tanto o público especializado quanto o público leigo) por três anos, pude passar os olhos por um grande número de manuscritos de ciências sociais. Além disso, por ser membro do corpo docente da AUB, traço muitos argumentos com base em minha própria experiência e considero essa universidade como um estudo de caso. Este capítulo não segue a estrutura típica de um trabalho empírico. Em vez disso, o material empírico serve para apoiar um argumento principalmente teórico.[3]

---

[2] Para além da questão da representatividade, uma pesquisa qualitativa séria deve levar a cabo um processo de codificação mais detalhado, o que implica ater-se não só à forma das publicações, mas também ao seu conteúdo.

[3] Por causa das limitações de espaço, não incluí trechos extensos das entrevistas. Onde houver uma citação sem referência, trata-se de uma citação de uma das entrevistas.

1. Compartimentalização dos estudiosos pelo idioma de interação

O ensino superior tem historicamente desempenhado um papel na formação do tipo de elite dotada de capital cultural. A transformação da universidade, especialmente por meio da mercantilização e da diversificação de recursos, que é examinada nesta seção, engendrou uma diversificação das elites, que são organizadas principalmente por sua língua de interação.

Existem três tipos de universidades no Oriente Árabe: públicas, seletivas e privadas. O primeiro tipo é a *universidade pública*, que absorve a esmagadora maioria dos alunos. Sendo com frequência uma universidade nacional, geralmente usa o currículo da língua árabe. De acordo com o Relatório do Desenvolvimento Humano Árabe da ONU (UNDP, 2003), a censura e a repressão política limitam abordagens críticas especialmente nas instituições públicas. A democratização da educação no Egito e na Síria (onde o acesso da população ao ensino é ampliado pela gratuidade), embora muito importante na era pós-independência, levou a um aumento na quantidade, mas não na qualidade dos alunos. Além desses dois principais fatores que afetam a educação, deve-se acrescentar: falta de salário adequado ao corpo docente, bibliotecas e recursos de ensino defasados, currículos desatualizados, enormes aglomerações de alunos, falta de recursos financeiros para a pesquisa e parco conhecimento de línguas estrangeiras. Esses fatores tornam problemático o nível de educação nessas universidades.

O segundo tipo de universidade é mais antigo e algumas delas foram historicamente fundadas por missões. Como nessas instituições a taxa de matrícula tem um custo muito elevado, são universidades privadas sem fins lucrativos que atraem a classe média alta (por exemplo, Saint Josef University, LAU e AUB no Líbano e a American University in Cairo [AUC]). Tais universidades ensinam exclusivamente em inglês ou francês e são *seletivas*, ou seja, universidades cuja ligação com a classe social é evidente. Essas instituições acomodam tanto alunos de classe média (alta) quanto docentes pertencentes ao mesmo grupo social. Bourdieu (1984: 214) caracteriza a academia como uma instituição fundamentalmente conservadora que reproduz e reforça as distinções de classes sociais como resultado de perspectivas e expectativas internalizadas por parte do grupo que a compõe — observação somente aplicável às universidades exclusivas, e não às públicas, já que algumas das universidades seletivas têm a missão declarada de preparar os estudantes para servir a população da região (por exemplo, AUB ou a AUC), enquanto a missão declarada das demais afirma o objetivo de formar os alunos para o trabalho no mercado global (por exemplo, LAU).

Por fim, desde o início da década de 1990, muitos países da região optaram pela privatização da educação. Enquanto as *universidades privadas* sem fins lucrativos no Líbano datam do século XIX, a Jordânia abriu sua primeira universidade privada sem fins lucrativos em 1990, seguida por Egito, Síria e a região do Golfo.

Esses três tipos de universidades não produzem, necessariamente, tipos correspondentes de elites e de conhecimento, mas indicam determinados padrões de classificação que são abordados mais adiante neste artigo. Os limites são ocasionalmente turvos entre esses tipos de universidades, como no caso de algumas instituições públicas que criaram programas privados.

Com a transformação das relações do famoso tripé formado por *universidade, indústria e governo*, de Henry Etzkowitz e Loet Leydesdorff (2000), a educação agora é vista mais como um bem privado do que público. Enfrentando orçamentos em declínio e sob competição acirrada, as universidades privadas e públicas no Oriente Árabe têm respondido com normalização e corporativismo e soluções de mercado. Elas instituíram empreendimentos conjuntos com empresas privadas e têm reinventado a educação como mercadoria por meio do ensino a distância (para outras regiões, consulte Bok, 2003; Kirp, 2003). Mamdani (2007) argumentou que, enquanto a privatização (a entrada de alunos custeados pelo âmbito privado) é compatível com uma universidade pública onde as prioridades são definidas publicamente, a comercialização (autonomia financeira e administrativa para que cada faculdade elabore um currículo que responda à demanda do mercado) leva inevitavelmente a uma situação onde o mercado determina as prioridades nas universidades públicas. O principal objetivo é transformar a universidade em uma organização empresarial que possa promover um relacionamento com os setores produtivos da economia (Clark, 1998). Transformar o desenvolvimento educacional no Oriente Árabe em um meio de desenvolvimento industrial combina com o olhar muitas vezes fixo no passado dessas instituições elitistas, para a frustração dos acadêmicos das ciências sociais (Sultana, 1999:24). Algumas universidades públicas, como as da Síria, são com frequência muito melhores do que as universidades privadas recém-abertas. Mamdani (2007) adverte que a comercialização de universidades públicas leva à subversão das instituições públicas para fins privados. Enquanto as universidades comerciais têm frequentemente atraído as classes média e média alta, a qualidade do ensino superior é também problemática, uma vez que produzem uma elite que não é capaz de competir no mercado global.

Existe uma massiva explosão do ensino superior no mundo árabe. Um padrão importante que caracteriza essa presente explosão é um processo simultâneo de *privatização* em meio à *globalização*. Dois terços (cerca de 70%) das novas universidades fundadas no Oriente Médio árabe desde 1993 são particulares, e cada vez mais (pelo menos 50%) delas são filiais ou ramificações de universidades ocidentais, a maioria americanas (Romani, 2009:4).

Se por um lado os *campi* no exterior (Qatar Education City, Dubai Campus) protegem a universidade das sociedades conservadoras no seu entorno, por outro isso resulta em uma tendência da instituição de ensino superior em cortar laços com a sociedade. O paraquedismo (Bashshur, 2007) de tais estruturas não incentiva a produção de pesquisa, e as ciências sociais nessas instituições são muito marginais. Para Vincent Romani (2009:5), é altamente improvável que o afluxo de novas sedes para o ensino superior possa prosseguir sem se envolver no conflito entre o nacionalismo e a necessária internacionalização dos projetos. No nível da língua, universidades nacionais muitas vezes ensinam ciências sociais em árabe, enquanto *universidades exclusivas* utilizam francês e/ou inglês. As *universidades privadas* usam o que Zughoul (2000) chamou de "acomodação inovadora", com professores e alunos alternando os códigos entre árabe e inglês (ou francês), a fim de obter e expressar os seus pontos de vista. Muitos pesquisadores, especialmente no Norte da África, têm demonstrado que a alternância de código não é apenas frequente, mas quase instintiva, produzindo um fluxo de linguagem sem esforço e sem emenda que acomoda os níveis variáveis de compreensão do aluno (Sultana, 1999:32).

Portanto, essas novas tendências no desenvolvimento universitário da região árabe, impulsionadas pela mercantilização e pela privatização, impactam a língua de ensino e formação das elites e merecem um exame mais minucioso.

O Relatório do Desenvolvimento Humano Árabe da ONU (UNDP, 2003) indicou o quão pouco os países árabes traduzem, de e para outras línguas. Os danos causados pela falta de esforço de tradução se tornaram bastante óbvios: um ensino monolíngue (em árabe, francês ou inglês) e desconectado dos avanços culturais e científicos externos, ou seja, a desintegração do contexto local levou ao isolamento das gerações mais jovens formadas em universidades públicas em relação ao debate internacional. De um modo geral, a divisão de competências linguísticas corresponde a uma divisão desigual do trabalho em que a produção árabe é principalmente local (apenas um pouco abstrata) e de baixa relevância para os debates internacionais. Tais observações são baseadas na revisão dos artigos submetidos às revistas *Idafat* e *al-Mustaqbal al--Arabi*, desde o início de 2007.

Embora a língua seja um marcador de identidade altamente simbólico, os intelectuais multilíngues possuem identidades de múltiplas camadas que abrem a porta para agendas de investigação mais amplas e para um compromisso não só com os contextos locais e regionais, mas também com os internacionais. A língua de instrução não pode ser escolhida exclusivamente com base em fatores político-culturais, que estão relacionados à formação de identidade na conquista da independência política. Há também um componente político-econômico envolvendo o reconhecimento de problemas ligados à escassez de recursos que limita a produção de livros didáticos necessários, assim como problemas determinados pelas estratégias de marketing das editoras internacionais das principais universidades (Sultana 1999:31). A produção em duas línguas, especialmente por meio de tradução, permite que intelectuais árabes sejam lidos tanto pelo público árabe quanto por uma audiência internacional. A experiência recente da região confirma isso. Assim, existem diferentes mercados para diferentes línguas, o que faz do inglês uma ferramenta de ensino muito importante. No entanto, não há nenhuma razão para se ter uma grade curricular desprovida de referências a publicações árabes. Um estudo de 30 currículos dos cursos de ciências sociais lecionados em Saint Josef University, LAU e AUB mostra que é extremamente raro (apenas duas) encontrar referências árabes, ainda que como leitura secundária.

No entanto, como muitos entrevistados apontaram, a compartimentalização da língua dos acadêmicos não significa que não se possa encontrar uma maneira de misturar currículos e referências em inglês e árabe. Pode-se esperar que as universidades que ensinam em inglês sejam uma ponte que liga a ciência social local à arena internacional, mas elas se tornam instituições globalizadas apenas no sentido em que possuem acesso às convenções e aos recursos globais, sem necessariamente participar na produção global de ciência. Além disso, essas universidades contribuem para o isolamento de alunos e professores em relação à sociedade que os rodeia. George Soros (2002) e Joseph Stiglitz (2002) reconheceram as armadilhas da globalização, especificamente que a internacionalização do ensino superior cria e/ou aumenta as desigualdades e injustiças que já existem nas sociedades do Sul Global. Esse processo levou a uma homogeneização dos programas de ensino. Knight (2008) e Yew (2009) sugerem que as complexidades envolvidas em trabalhar no campo da internacionalização exigem conjuntos adicionais de conhecimentos, atitudes, habilidades e entendimentos sobre as dimensões internacionais, interculturais e globais da educação superior.

No Líbano, políticas da língua têm reforçado uma segmentação da sociedade em linhas sectário-nacionalistas. Saber uma língua estrangeira torna-se uma fonte de integração global e isolamento local. Essas universidades de elite produzem um hibridismo que está orientado apenas para a produção, levando à alienação sobre a sociedade nacional e, consequentemente, à marginalidade. Os cientistas sociais no Líbano não falam uns com os outros porque, enquanto a Lebanese University (pública) fala com a sociedade, universidades como a AUB, a LAU e a Saint Josef falam com o mundo internacional. Os *fori* de encontro são raros.

Em resumo, o crescimento da privatização e a mercantilização do conhecimento criaram tanto hierarquias entre universidades e entre elites que falam línguas diferentes, quanto a compartimentalização dos acadêmicos pela língua de interação. Além disso, há uma segmentação na variedade de atividades das ciências sociais.

2. Compartimentalização dos estudiosos pelo tipo de pesquisa social

Para lidar com esse segundo tipo de compartimentalização, uso a tipologia seminal de quatro dimensões elaborada por Michael Burawoy para a sociologia, aplicando-a de forma mais ampla a todas as ciências sociais. Burawoy distingue quatro tipos de sociologia: dois (sociologia profissional e crítica) são relevantes para o público acadêmico enquanto os outros dois (sociologia pública e política) se referem a uma audiência mais vasta. A sociologia profissional consiste no "cruzamento de múltiplos programas de investigação, cada um com suas premissas, modelos, questões definidoras, aparatos conceituais e teorias em evolução" (Burawoy 2005:10). A sociologia crítica examina as fundações — tanto explícitas quanto implícitas; tanto normativas quanto descritivas — dos programas de pesquisa da sociologia profissional. A sociologia pública "traz a sociologia a uma conversa com o público, entendido como pessoas que estão elas mesmas envolvidas em uma conversação. Implica, portanto, uma dupla conversa" (Burawoy 2005:8) e relações recíprocas, em que um diálogo significativo promove a capacitação mútua que não só fortalece esses públicos, mas também enriquece o trabalho sociológico e o auxilia na definição das agendas de pesquisa. A participação da comunidade na concepção das propostas de investigação, bem como palestras e workshops com as diferentes partes interessadas para a disseminação de resultados de pesquisa, são formas pelas quais os cientistas sociais podem interagir com o público e determinar a relevância de futuros temas de estudo, tanto para as necessidades da sociedade quanto do público. A ciência social pública, portanto, tem quatro níveis: em primeiro lugar, privilegiando o método de intervenção sociológica (desenvolvido por Alain Touraine) e pesquisa de ação; em segundo, falando e escrevendo para o público exclusivamente sobre a disciplina do pesquisador; em terceiro, falando e escrevendo sobre a disciplina e sobre como ela se relaciona com o mundo social, cultural e político em seu entorno; e finalmente, falando, escrevendo e tomando posição para algo muito maior do que a disciplina da qual o pesquisador se originou (Lightman, 2008). Aqui devemos admitir a postura pública normativa do pesquisador sem necessariamente defender uma causa de maneira acrítica (Marezouki, 2004; Wieviorka, 2000).

Finalmente, o propósito da sociologia política é fornecer soluções para os problemas que se apresentam à sociedade ou legitimar as soluções que já foram alcançadas. Alguns clientes (organizações internacionais, ministérios etc.) frequentemente solicitam estudos específicos para sua própria intervenção, com um contrato estrito (Burawoy, 2005:9).

Embora todos os quatro tipos de ciências sociais sejam igualmente representados e debatidos na Europa (por exemplo, Pierre Bourdieu, Alain Touraine e Michel Wieviorka) e parcialmente na América do Norte (por exemplo, Michael Burawoy, Herbert Gans e David Riesman), este não é o caso no Oriente Árabe. A falta de diálogo sobre o tema na região pode ser notada pela proporção entre artigos publicados, artigos de jornais e relatórios inéditos, observados a partir de 203 currículos de cientistas sociais do Oriente Árabe. A pesquisa mostra que os estudiosos muitas vezes se especializam em apenas um tipo de ciência social e não há nenhum debate entre esses indivíduos.

Em termos do perfil dos pesquisadores, cientistas sociais críticos geralmente têm mais de 50 anos de idade. A tendência é que muitas vezes os estudiosos seniores não façam trabalho de campo. Cientistas sociais políticos e públicos são a maior parte do sexo masculino. A alta competitividade e a agressividade do mercado de consultoria poderiam explicar esse viés masculino.

Alguns cientistas sociais críticos e profissionais que entrevistei expressaram uma atitude condescendente para com a sociologia pública e política. Por muito tempo, os pesquisadores profissionais têm adotado uma postura objetiva e deixado de lado suas responsabilidades éticas, evitando expressar pontos de vista (pró ou contra) em *fori* públicos e fazendo *lobby* com funcionários públicos. Essa atitude se torna mais clara quando o corpo docente atua em universidades de elite. Um olhar sobre os perfis dos consultores que conduzem pesquisas políticas para organizações nacionais e internacionais revelou que cerca de 75% deles nunca publicaram em revistas acadêmicas, não há indícios de que tenham realizado trabalho de campo e, pelo contrário, a maior parte de sua produção apenas recicla o trabalho alheio. A esses consultores parece faltar reflexividade consistente.

Existe uma competição desigual entre os pesquisadores políticos e o restante dos cientistas sociais, decorrente da intervenção das agências doadoras, que muitas vezes favorecem os primeiros — tidos como os "experts" entre os cientistas sociais — em detrimento dos demais. Isso reflete o que Lee e colaboradores (2005) chamaram de o casamento tumultuado entre a ciência social e a política social, em que as regras de conjugalidade nunca são totalmente estabelecidas ou acordadas por ambas as partes. As agências da ONU, por exemplo, por vezes produzem um conhecimento político que é autolegitimado e desconectado da pesquisa profissional. Entre as referências listadas em O Relatório do Desenvolvimento Humano Árabe da ONU de 2009 (UNDP, 2009), que são diferentes de referências estatísticas, apenas 30 entre 242 (14%) dizem respeito à pesquisa profissional, e quase a metade do total de referências textuais (47%) é de documentos da própria ONU (tabela 1).

Tabela 1
Fontes de referência do Relatório do Desenvolvimento
Humano Árabe da ONU de 2009 (UNDP)

	Número de referências	%
Documentos da ONU	113	47
Organizações internacionais	40	17
Documentos da internet	30	12
Produção acadêmica	30	12
Documentos oficiais	21	9
Jornais	8	3
Total	242	100

Currículos mostram que os cientistas sociais públicos no Oriente Árabe também são muitas vezes desconectados dos cientistas sociais profissionais. Eles se tornam especialistas em qualquer assunto sobre o qual são convidados a pesquisar, seja pela mídia ou por instituições públicas. Embora anedótico, prestei atenção a programas de TV em alguns canais árabes (al-Jazeera, Future TV, TV Síria, Tv Palestina e al-Arabiyya) durante o ano de 2010, procurando pela presença de cientistas sociais públicos árabes. Deparei-me com um pequeno número deles sendo entrevistado sobre diferentes temas que são, por vezes, relacionados a suas áreas de especialização, mas em muitos casos os assuntos não têm nenhuma relação entre si. Revendo alguns dos currículos desses especialistas da mídia é possível notar que eles não são muito produtivos em pesquisa profissional e crítica. Da mesma forma, é raro encontrar livros escritos por cientistas sociais que sejam lidos para além do âmbito acadêmico, e eles acabam por se tornar veículo de uma discussão pública sobre a natureza da sociedade árabe ou local — a natureza de seus valores, a diferença entre sua promessa e sua realidade, tendências e mal-estar social. Muitos estudiosos têm se voltado para a figura do intelectual e sua relação com a academia e a sociedade. Para Hisham Ju'eit (2001), enquanto os intelectuais europeus estão ligados às suas tradições, os intelectuais árabes desertaram das suas. Tanto Ali Harb (1996) quanto Abdul-Elah Balqiz (1999) se queixam de que os intelectuais árabes são excessivamente politizados e partidários de formações políticas, em vez de serem pensadores críticos conectados à academia.

Dito isso, não estou sugerindo que cada pesquisador deva realizar todos os quatro tipos de pesquisa social. No entanto, quando há uma tendência de compartimentalização no nível societário, corre-se o risco de produzir mediocridade em cada um dos segmentos da ciência social e, em particular, o risco de tornar a investigação profissional e crítica mais elitista e irrelevante (Alatas, 2001), desvinculada das necessidades da sociedade. Estruturas como universidades, agências doadoras e meios de comunicação estão pressionando essa especialização. A seguir, defendo que a universidade está desconectada da esfera pública.

3. O desaparecimento da universidade como esfera pública

A universidade constitui um "bem público" ou uma esfera pública? Como muitos entrevistados apontaram, grande parte dos docentes das universidades árabes — sejam elas públicas, comerciais ou seletivas — evita se envolver com o público ou com os movimentos sociais. Em vez disso, a universidade é concebida como um espaço "apolítico".

Universidades árabes com frequência não configuram uma esfera pública, em termos de um espaço em que novas ideias são discutidas e testadas. Elas se isolam da cidade, evitando o risco de gerar animosidade por parte de certos grupos sociais. Antes da década de 1970, não era assim. A mudança do *status* da AUB no Líbano constitui um exemplo esclarecedor.

Historicamente (antes de 1970), a AUB desempenhou um papel importante na produção de estudos críticos (Myntti et al., 2009). Intelectuais reformistas e nacionalistas se engajaram com o público, abordando questões críticas sobre história árabe, leitura moderna do Alcorão, educação de gênero e unidade árabe. No entanto, desde o início da década de 1980, o foco financeiro e institucional das universidades passou dos departamentos de história, filosofia e estudos do Oriente Médio para as escolas de negócios e engenharia. Se alguma vez a AUB foi um espaço vibrante de pensamento crítico, desafiando o senso comum e envolvendo-se com o público, alguns entrevistados indicaram que os administradores se tornaram cautelosos por conta do caráter sensível desses compromissos. Algumas administrações pedem que os membros da universidade não revelem sua afiliação com a AUB em artigos públicos e que eles até mesmo adicionem um aviso dissociando suas opiniões particulares da instituição. Outras solicitam a seus membros que não utilizem o sistema de e-mail da AUB quando pedirem por assinaturas em petições que tratam de questões sociais. Alguns professores ocultam do currículo o fato de escreverem para jornais, não apenas porque esse tipo de publicação não conta para promoção na carreira acadêmica, mas também porque parte de seus colegas considerariam isso como dispersão ou "ser muito expansivo".

Enquanto as universidades nacionais foram fortemente controladas pelo Estado, de uma forma que se assemelha às campanhas no estilo McCarthy, e deliberadamente não convocadas a se envolver com a sociedade, a comercialização do ensino superior tem produzido um lugar de interação com as demandas do mercado e não da sociedade. Por exemplo, a importância dos programas de educação em ciências humanas está diminuindo e eles se tornaram meros requisitos de educação geral para servir e complementar outros programas.

Em algumas universidades da região, uma nova tendência emergiu recentemente: a criação de centros cívicos de engajamento e serviço à comunidade (como no caso da AUB e Saint Josef University no Líbano, e AUC no Egito). A AUB tem muitas iniciativas, das quais seis são dignas de nota aqui: Centro de Engajamento Cívico e Serviços à Comunidade, Centro de Pesquisa e Educação Agrícola (Arec, que é o campus da AUB no Vale do Bekaa), a Iniciativa Bairro, Instituto de Políticas Públicas Issam Fares, Debate Cidade e Sociologia Café.

Apesar dessas numerosas iniciativas, muitos desafios ainda aguardam o corpo docente. Entrevistados da AUB mencionaram como alguns reitores e administradores não avaliam positivamente os esforços dos professores, com destaque para um paradoxo: enquanto a AUB quer mostrar uma boa imagem de engajamento cívico, esse mesmo engajamento não é considerado de fato na avaliação dos docentes. Assim, o que acontece com o sistema de promoção?

As universidades normalmente utilizam três parâmetros para a promoção de seus membros: produção de pesquisa, ensino/aprendizagem efetivos e contribuição em serviços universitários e de desenvolvimento. Quanto ao último item, é descrito nos regulamentos da AUB da seguinte maneira:

> este critério se reflete em dois tipos de serviços: a. Serviço baseado em iniciativas para promover a qualidade da educação na Faculdade e na Universidade. Este assume a forma de introdução de novos cursos e programas para o departamento do requerente, contribuição para o programa de pós-graduação, iniciativas de financiamento da pesquisa, serviços à comunidade e de divulgação etc. b. Serviço em comissões necessárias para a gestão dos assuntos da Faculdade e da Universidade. (fonte: circulação eletrônica não publicada)

Embora "serviço à comunidade e divulgação" seja mencionado, os entrevistados relataram que "realizações com base neste critério dificilmente são discutidas em reuniões de avaliação dos arquivos de promoção, seja no departamento, no comitê consultivo ou em níveis superiores". Se um membro da faculdade se envolve em trabalho comunitário, seu rigor e idoneidade são frequentemente tidos como suspeitos.

Em resumo e nas palavras de Myntti e colaboradores (2009:13),

> discussões internas estão ocorrendo sobre como proceder, mas, em geral, o interessante é o quão estrita é a definição de serviço. O argumento não assenta no valor inerente de serviço — como um ato de cidadania —, mas em como ele vai construir o capital financeiro, político e social do implementador através do trabalho prestado em comitês de especialistas, conselhos editoriais e contribuições de mídia.

Dirijo-me agora a olhar para publicação como critério no sistema de promoção e os problemas que isso implica.

4. Sistemas de classificação no processo de promoção

A universidade tem um papel não só na produção, mas também na legitimação do conhecimento (Stevens et al., 2008:129). Ela orienta a investigação por meio de financiamento ou favorecendo certo tipo de produção de pesquisa para a promoção de docentes (por exemplo, Slaughter, 1993). Resultado de pesquisa é de fato o critério mais importante para a promoção. Por exemplo, de acordo com o regulamento da Faculdade de Artes e Ciências da AUB,

> os resultados da investigação devem refletir um padrão internacional em áreas que são consideradas oportunas e contribuir para o conhecimento em uma área bem definida de investigação. Acima de tudo, o trabalho deve ser publicado em revistas acadêmicas reconhecidas que são indexadas internacionalmente. No caso de livros, a qualidade do editor, o processo de referência e as resenhas que o livro receber serão levados em conta.

Como fica claro pelo regulamento, não há nenhuma menção sobre a importância da publicação em periódicos regionais ou locais. Embora revistas regionais ou locais não possam competir com "revistas reconhecidas internacionalmente", elas têm a possibilidade de gerar melhor debate local e regional. O regulamento também não aborda a questão do idioma. Sobre as reuniões em que se discute a promoção, alguns docentes informaram que "artigos em árabe não podem ser considerados" ou são rotulados pejorativamente como "locais". O relatório anual da Faculdade de Artes e Ciências da AUB de 2008 demonstra claramente como poucas publicações de ciências sociais são em árabe (apenas três dos 245 artigos e dois dos 27 livros).[4] A Universidade Americana de Sharjah (UAE) solicita entre seus critérios de pesquisa que algumas das atividades de investigação "apliquem a pesquisa especializada para as necessidades dos Emirados Árabes Unidos". Entretanto, não há incentivo para publicar em estabelecimentos locais ou regionais.

Como chegamos a esse ponto? Devido aos regulamentos que cercam a promoção e a prática do professor bem estabelecido, ou seja, *a reprodução de corpos* (Bourdieu, 1984:84) e a continuação da ortodoxia? A academia é determinada pelo controle dos mecanismos para a aceitação de novos docentes nas fileiras da universidade. A seleção e moldagem desses novos membros são um exercício nuclear de poder na contínua criação da academia. Tenho tendência a responsabilizar o corpo docente em vez da regulação institucional. Mesmo se culpo o regulamento por não incentivar os membros da faculdade a separar algum tempo para a divulgação de suas pesquisas além das revistas--referência, o corpo docente não resistiu. Pior ainda, de acordo com muitos professores entrevistados, essa prática até certo ponto está mais relacionada ao esnobismo dos colegas do que ao regulamento. Isso não desconsidera o fato de que há também outros fatores que tornam difícil a publicação em árabe, como o pequeno número de revistas indexadas no idioma. Enquanto esse problema é agudo em universidades seletivas no mundo árabe, um problema semelhante pode ser encontrado em grande parte do Sul Global. Na África do Sul, por exemplo, Tina Uys (2009) observou um sistema de classificação da produção acadêmica,

---

[4] Fonte: <www.aub.edu.lb/fas/fas_home/faculty_and_research/Pages/annual_report.aspx>.

projetado para promover a competitividade internacional, o que levanta grande problema para a inserção da pesquisa no contexto local.

O objetivo do sistema de promoção é exprimir isomorfismo institucional com relação às melhores universidades americanas, mas esse objetivo não deve se sustentar sozinho. Acomodar o contexto local também é muito importante. Na teoria do isomorfismo institucional de DiMaggio e Powell (1983), o isomorfismo é um processo restritivo que força unidade a uma população para se assemelhar a outras unidades que enfrentam o mesmo conjunto de condições ambientais. Não sou contra emprestar fórmulas institucionais da América do Norte, mas oponho-me à imitação acrítica destas instituições, especialmente quando a região árabe tem um contexto muito diferente. Além disso, o processo de isomorfismo não assume que existe uma heterogeneidade no sistema americano, negligenciando o fato de que as comparações se referem a muito poucas universidades de elite. Avaliações baseadas na publicação em revistas internacionais, e dependendo de resenhistas e revisores de outros países, projetam a pesquisa para longe de problemas e questões de importância local e nacional. Um professor de educação da AUB informou que muitos artigos foram distorcidos para caber no âmbito da audiência internacional, perdendo tanto o foco quanto a capacidade de gerar debate nos níveis nacionais e regionais. Outros membros do corpo docente se queixam de relatórios de avaliadores rejeitando seus manuscritos como "não sendo relevante para o público americano", "mistura de academia com advocacia" ou porque "a literatura americana importante não é citada". Isso significa que os moradores do Norte se tornam internacionais, enquanto os moradores do Sul Global se tornam obsoletos. Com base em estudos bibliométricos, Wiebke Keim confirma a marginalização do Sul Global na produção científico-social: "Pouris (1995), por exemplo, aplica esta metodologia ao estudo de ciências sociais em nível internacional, afirmando que 90% dos artigos existentes no *Social Science Citation Index* são originários de 10% dos países do mundo" (Keim, 2008).

A ideia de simplesmente publicar em revistas internacionais abre margem para uma interpretação modernista de produzir conhecimento (objetivo) de "quem, o quê, quando, onde, por quê" com uma "visão de lugar nenhum", enquanto convém chamar a atenção para um conhecimento que considera as questões (situacionais) de "para quem, o quê, quando, para onde" e "de cujo ponto de vista" como parte inseparável do projeto analítico, e não meramente uma questão de preocupação individual do analista (Lee et al., 2005). A ciência social pública é uma maneira de escrever e uma forma de engajamento intelectual que não pode ser acomodada apenas em um jornal internacional de importância reconhecida, especialmente se é levado em conta o atraso (às vezes dois anos) da publicação.

O resultado é a diminuição do trabalho de campo e da análise textual em favor da análise teórica e estatística. A forma como os pesquisadores são obrigados a publicar apenas globalmente os levou a perecer localmente. Qual o interesse em ser um pesquisador que goza de considerável reconhecimento internacional por seus pares, pela alta qualidade e impacto de suas pesquisas recentes, enquanto se é desconhecido localmente? Muitos cientistas sociais no Líbano e no mundo árabe se enquadram nessa categoria. Visivelmente, as revistas acadêmicas internacionais com frequência se utilizam do jargão acadêmico e não tornam a ciência social acessível ao grande público, ao contrário do que alguns periódicos insistem em afirmar. No editorial da edição inaugural do *American Journal of Sociology*, Alibion Small esperava que até o final do século XX a então recém-lançada revista se tornasse acessível a todo o público, mas até agora tanto esse quanto outros periódicos acadêmicos falharam em tal missão (Haney, 2008). Publicações internacionais desse tipo devem ser um dos pontos de escoamento da produção das ciências sociais, importante para o diálogo no interior da disciplina, mas não devem ser a única saída para a publicação. Cientistas sociais japoneses e alemães alcançaram certo equilíbrio neste ponto. O *establishment* das ciências sociais nesses países, ainda que muito influenciado por modelos ocidentais, não mede o sucesso de acordo com publicações em periódicos internacionais e com o uso do inglês (Alatas, 2003:606).

Tornar-se um pesquisador globalizado não acontece sem um preço em termos de conteúdo e narrativa. Por exemplo, às vezes é difícil publicar artigos críticos ao pensamento ocidental dominante nas revistas *core* do campo (ou seja, o *American Journal of Sociology*, a *American Sociological Review*, *Social Problems*, *Social Forces* e *Rural Sociology*). Alguns entrevistados mencionaram "o quão difícil [é] publicar em tais revistas sobre classes sociais ou fazer uma crítica radical às práticas coloniais israelenses". Em termos de narrativa, o sistema de classificação e pontuação desconsidera a publicação em revistas "científicas" não ortodoxas, tais como as revistas literárias. Escrever para um padrão internacional impõe um determinado modelo estilístico e uma estrutura de argumento. Se adotarmos a clássica distinção de Wolfe (1990) entre dois modelos ideais de redação, o "modelo científico ou experimental" e o "modelo literário",[5] vemos que um estudioso dificilmente vai encontrar uma revista científica aberta ao modelo literário da escrita.

Os sistemas de classificação também não se adaptaram ainda à tecnologia das novas mídias. A proliferação de publicações e recursos na internet mudou radicalmente a forma como a informação é transmitida. No caso das revistas acadêmicas, a internet oferece uma oportunidade para disponibilizar artigos a assinantes e também ao público, eliminando o atraso que é inevitável com uma publicação impressa. No entanto, as entrevistas mostraram que em algumas universidades a pontuação para efeitos de promoção é muito menor para publicações em revistas digitais do que impressas.

Em resumo, nas universidades seletivas e privadas, em vez de avaliar a pesquisa, o aferimento internacional de produção científica e o sistema de classificação de resultados consideram o produto, o veículo. Um artigo baseado em dois anos de trabalho de campo é equivalente a uma revisão da literatura. Desde que o produto seja identificado, não é necessário avaliar o que aconteceu, nem antes (metodologia e processo), nem depois (disseminação do conhecimento para o público ou a transformação em estudo político).

Enquanto as universidades seletivas são muitas vezes orientadas *globalmente*, as universidades nacionais são orientadas apenas *localmente*. O corpo docente publica pouco em revistas internacionais e em outras

---

[5] Wolfe definiu esses tipos ideais considerando que o modelo experimental é geralmente "caracterizado por construção mais curta das sentenças, frase elíptica, maior densidade de jargão e taquigrafia científica, múltiplos autores, tabelas e expressões algébricas, conformidade estilística e uso mais intenso da voz passiva", enquanto o modelo literário é caracterizado "por um desenvolvimento mais vagaroso das ideias, *obiter dicta* mais frequente, menos consideração da economia da apresentação, autores individuais, estilos idiossincráticos, uso da primeira pessoa do singular, dependência de metáforas, e uso de estratégias retóricas mais complexas" (Wolfe, 1990:479).

línguas que não o árabe.⁶ Se o primeiro problema é publicar globalmente e perecer localmente, esta última questão se refere a publicar localmente e perecer globalmente. Esse é o perfil de publicação do pesquisador médio no Oriente Árabe, com base na análise de currículos, mas isso não significa que não existam alguns estudiosos que foram capazes de construir uma ponte entre o global e o local. As condições para a realização de pesquisas na região já são por si só bastante difíceis: bibliotecas pobres e comparativamente baixos salários. Isso leva a uma falta de interesse, mas também a uma dificuldade em satisfazer os critérios de publicação das revistas internacionais. Um olhar sobre os currículos dos professores de ciências sociais em universidades públicas mostra que o grupo que publicou em revistas inglesas ou francesas é aquele dos que se graduaram em universidades do Atlântico Norte. Um levantamento das publicações sobre a ciência da educação conduzido por Maaloof mostrou dois fatos marcantes: 95% dos artigos dos jornais jordanianos são publicados por autores da Jordânia; e apenas 11% dos autores egípcios e 35% dos autores do Kuwait publicam fora de seus respectivos países (Maaloof, 2009).

A marginalidade da produção em língua árabe na arena global é acompanhada pela invisibilidade em fóruns científicos internacionais. Poucos estudiosos provenientes do mundo árabe participam de conferências internacionais e as universidades nacionais raramente fornecem bolsas de estudo para participar desse tipo de evento. Havia apenas 5, 7 e 10 participantes, respectivamente, no Congresso Mundial da Associação Internacional de Sociologia em Madri (1990), Bielefeld (1994) e Montreal (1998). No entanto, se a pesquisa social de língua árabe é de alguma forma periférica em circuitos globais de conhecimento, é principalmente devido à sua língua não hegemônica (árabe) e não aos problemas, perspectivas ou paradigmas com que trabalha. Finalmente, algumas universidades estão cientes da importância de se avaliar as publicações locais e internacionais. Por exemplo, a Universidade de Birzeit (Ramallah, na Cisjordânia) distingue entre produção de pesquisa e produção científica. Para avaliar a produção científica, os candidatos à promoção são convidados a mencionar os títulos de todas as suas pu-

---

⁶ Para o caso do Líbano, ver Kabbanji (2009).

blicações e palestras dirigidas a grandes audiências públicas, enquanto a produção de pesquisa diz respeito à publicação em revistas e livros acadêmicos e participação em workshops.

5. Conclusão

Este capítulo procura demonstrar o papel do sistema de promoção universitária na orientação da pesquisa do corpo docente e lança alguma luz sobre a formação de elites. Como um vetor fundamental para a produção científica, o ato de publicar cristaliza as ligações particulares tecidas entre os aspectos institucionais (sistemas de classificação dentro do financiamento das universidades e dos doadores) e cognitivos (saberes) de um campo. Este artigo revela que a compreensão de práticas científicas caminha junto com a análise das inter-relações específicas entre suas modalidades contextuais de institucionalização e as características do conhecimento que produz. As agências doadoras e as universidades subjugam as ciências sociais. O Estado promove legalistas ou criminaliza os adversários, e por vezes simplesmente não promove "ciências nacionais" (Kabbanji, 2009) e as relega à agenda de doações. Expostos a esses quadros institucionais, e possuindo também preocupações econômicas, os cientistas sociais se autocensuram.

Demonstro que o sistema de promoção em algumas universidades, especialmente as seletivas, está forçando uma definição bastante restrita do serviço como critério de avaliação. Isso tem contribuído para o desaparecimento da universidade como esfera pública. Os critérios de pesquisa e o sistema de classificação de publicações têm influenciado narrativas de investigação e agendas de pesquisa, e desestimulado pesquisadores profissionais e críticos a combinarem suas pesquisas com a política e as necessidades do público. Faculdades são pressionadas a padronizar suas formas de conduzir investigações científicas e a publicar principalmente em revistas internacionais de língua inglesa. Para usar a dicotomia de Bourdieu (1984), esses periódicos publicam frequentemente pontos de vista intelectuais ortodoxos e institucionalmente sancionados, em vez daqueles mais "heréticos". Pouco espaço foi deixado para a criatividade ou a excentricidade.

Se por um lado existe agência em direção a um certo universalismo das ciências sociais (ainda que com descontinuidades), há também *trajetórias diferenciadas para atingir essas tendências*. A lógica da descoberta científica já é interrompida por pausas epistemológicas e mudanças de paradigma, e torna-se mais difícil para o pesquisador do Sul Global contribuir para essas descontinuidades. A relação dos cientistas sociais com a prática é normalmente mediada por valores, atitudes e suas representações, que com frequência se encontram afastadas dos padrões formais de verificação.

Um pesquisador local tem o direito de escolher o estilo que prefere e de usar metáforas locais sem "tradução apropriada", citando os autores que desejar na revisão da literatura, sejam eles locais, do Sul Global ou do Norte. Revistas acadêmicas de alto impacto devem adotar a abordagem multiculturalista para permitir uma diversidade de conceitos e estilos, mas não no sentido de que nós precisemos exclusivamente de conceitos árabes para fenômenos árabes. Nas palavras de Kenway e Fahey (2009:2), é uma questão de como essas revistas podem incentivar o desenvolvimento de imaginações e comunidades globais desafiantes, com as capacidades de pensar, ser e "tornar-se" de maneiras diferentes em um mundo de investigação cada vez mais regido pela racionalidade reducionista galopante.

Em suma, o sistema de promoção internaliza efetivamente a hegemonia das ciências sociais do Norte, aprofundando assim o fosso em torno dos cientistas sociais árabes. Os países do Sul Global, dominados na divisão internacional do trabalho científico, produzem assim uma ciência periférica (Losego e Arvanitis, 2008) e visões periféricas (Connell, 2009), reforçando a "dependência acadêmica" (Alatas, 2003). Esse sistema de ranqueamento habita a emergência de uma produção sociológica autônoma, marginalizando-a e não apoiando o trabalho que é "mais uma consequência" (Appadurai, 2000:3). O trabalho de Wiebke Keim (2008) sobre a marginalidade do Sul Global na ciência social é muito esclarecedor. Para Keim, o sistema de classificação esconde uma perspectiva evolucionista inerente às ciências sociais, que, apesar da desconstrução e da desilusão pós-moderna, ainda prevalece e cria hierarquias entre os objetos de investigação, bem como entre os locais de produção sociológica: o sucesso das ciências sociais do Sul é determinado por sua aproximação com as ciências do Norte. A internacionalização da ciência social é apenas o processo de modernização/ocidentalização em curso (Keim, 2008; Oommen, 1991:7).

Esse caminho de dependência não é inevitável e há muitas exceções notáveis. Se existe uma dependência estrutural que o Terceiro Mundo acha difícil mudar, existe uma "dependência opcional", nas palavras de Munir Bashshur,[7] que os estudiosos podem desafiar. Keim (2011) fornece um exemplo muito esclarecedor do que ela chamou de combate a correntes hegemônicas na sociologia internacional da África do Sul, ou seja, o desenvolvimento de estudos do trabalho na África do Sul. A característica central nesse trabalho é sua recusa em participar na arena comum; menos por meio da discussão teórica e crítica explícita, mas sim por modalidades específicas da prática científico-social.

Na região, o caminho da dependência ainda é muito forte, embora com algumas exceções. Vemos na AUB, por exemplo, que a esperança está no horizonte. Debates silenciosos começaram a surgir entre os docentes após a criação do engajamento cívico e do Centro de Serviços à Comunidade. Novos regulamentos, anunciados pelo presidente em junho de 2009, também enfatizaram que as atas das reuniões sobre a promoção universitária não devem apenas informar a quantidade, mas também a qualidade dos resultados da pesquisa. No entanto, mais esforços devem ser feitos para ligar a produção e a universidade às sociedades locais e regionais, e facilitar o cultivo de laços fortes entre os estudiosos e suas comunidades. Recursos institucionais são muito importantes para a arabização das ciências sociais: um departamento de publicação pode facilitar a publicação na língua árabe por meio do provimento de financiamento para o corpo docente publicar em árabe ou em cooperação com as editoras locais.

Referências

ALATAS, S. F. Academic dependency and the global division of labour in the social sciences. *Current Sociology*, v. 51, n. 6, p. 599-613, 2003.

---

[7] Entrevista com o autor em dezembro de 2010.

_____. The study of the social sciences in developing countries: towards an adequate conceptualisation of relevance. *Current Sociology*, v. 49, n. 2, p. 1-27, 2001.

APPADURAI, A. Grassroots globalization and the research imagination. *Public Culture*, v. 12, n. 1, p. 1-19, 2000.

ARVANITIS, R.; GAILLARD, J. (Ed.). Science indicators in developing countries. In: INTERNATIONAL CONFERENCE ON SCIENCE INDICATORS IN DEVELOPING COUNTRIES, ORSTOM/CNRS, UNESCO, 15-19 October 1992, Paris.

BALQIZ, A-E. *The end of the advocator*. Beirut: Markaz al-Thaqafi al-Arabi (in Arabic), 1999.

BASHSHUR, M. (2007) Observations from the edge of the deluge: are we going too fast too far in our educational transformation in the Arab Gulf? In: EDUCATION AND CHANGE IN QATAR AND THE ARAB WORLD, sponsored by Georgetown University School of Foreign Service in Qatar, Centre for International and Regional Studies and the Centre for Contemporary Arab Studies, 21-22 April 2007, Qatar.

BOK, D. *Universities in the marketplace*: the commercialization of higher education. Princeton, NJ: Princeton University Press, 2003.

BOURDIEU, P. *Homo academicus*. Paris: Minuit, 1984. [*Homo academicus*. Florianópolis: Edufsc, 2011.]

BURAWOY, M. 2004 ASA presidential address: for public sociology. *American Sociological Review*, v. 70, n. 1, p. 4-28, 2005.

CLARK, B. R. *Creating entrepreneurial universities*: organizational pathways of transformation. Oxford: International Association of Universities and Elsevier Science, 1998.

CONNELL, R. (2009) Peripheral visions: beyond the metropole. In: KENWAY, J.; FAHEY, J. (Ed.). *Globalizing the research imagination*. Abingdon: Routledge, 2009. p. 53-72.

DIMAGGIO, P. J.; POWELL, W. W. The iron cage revisited: institutional isomorphism and collective rationality in organizational fields. *American Sociological Review*, v. 48, n. 2, p. 147-160, 1983.

ETZKOWITZ, H.; LEYDESDORFF, L. The dynamics of innovation: From national systems and 'Mode 2' to a triple helix of university-industry—government relations. *Research Policy*, v. 29, n. 2. p. S.109-123, 2000.

HANEY, D. P. *The Americanization of social science*: intellectuals and public responsibility in the postwar United States. Philadelphia, PA: Temple University Press, 2008.

HARB, A. *Illusions of the elite or criticism of the intellectuals*. Beirute: Markaz al--Thaqafi al-Arabi (in Arabic), 1996.

JU'EIT, H. *Crisis of Islamic culture*. Beirute: Dar al-Tali'a (in Arabic), 2001.

KABBANJI, J. Perspectives of the social scientific research in Lebanon in a 'globalized' context: conditions and limitations. In: ARAB REGIONAL CONFERENCE ON HIGHER EDUCATION, June 2009, Cairo.

KAWAR, A. *George Habash*: testimony of an uprooted Palestinian. 2008. Disponível em: <palestinethinktankcom/2008/02/01/george-habash-testimony-of-an-uprooted-palestinian/>.

KEIM, W. Counterhegemonic currents and internationalization of sociology. Theoretical reflections and an empirical example. *International Sociology*, v. 26, n. 1, p. 123-145, 2011.

_____. Social sciences internationally: the problem of marginalization and its consequences for the discipline of sociology. *African Sociological Review*, v. 12, n. 2, p. 22-48, 2008.

KENWAY, J.; FAHEY, J. Introduction. In: ____; ____ (Ed.). *Globalizing the research imagination*. Abingdon: Routledge, 2009.

KIRP, D. L. *Shakespeare, Einstein, and the bottom line*: the marketing of higher education. Cambridge, MA: Harvard University Press, 2003.

KNIGHT, J. Internationalization of higher education in the 21st century: concepts, rationales, strategies and issues. In: KAUR, S.; SIRAT, M.; AZMAN, N. (Ed.). *Globalisation and internationalization of higher education in Malaysia*. Pulau Pinang, Malaysia: Penerbit Universiti Sains Malaysia, 2008. p. 22-50.

LARÉDO, P.; LERESCHE, J.-P.; WEBER, K. (Ed.). *L'internationalisation de la recherche et de l'enseignement supérieur*. France, Suisse et Union Européenne. Lausanne: Presses polytechniques et universitaires romandes, 2009.

LEE, E. R. et al. *From national dilemmas to global opportunities*. MOST papers: Social Science and Social Policy, 2005.

LIGHTMAN, A. *The role of the public intellectual*. 2008. Disponível em: <web.mit.edu/comm-forum/papers/lightman.html>.

LOSEGO, P.; ARVANITIS, R. Science in non-hegemonic countries. *Revue d'Anthropologie des Connaissances*, v. 2, n. 3, p. 343-350, 2008.

MAALOOF, R. Characteristics of the database of Arab educational information network 'Shamaa'. 2009. Mimeografado.

MAMDANI, M. *Scholars in the marketplace*: the dilemmas of neo-liberal reform at Makerere University, 1989-2005. Dakar: Codesria, 2007.

MAREZOUKI, N. Théorie et engagement chez Edward Saïd. 2004. *La Revue Mouvements* supplément électronique. Disponível em: <www.cairn.info/revue-mouvements-2004-3-page-162.htm>.

MYNTTI, C.; ZURAYK, R.; MABSOUT, M. (2009) Beyond the walls: the American University of Beirut engages its communities. In: ARAB REGIONAL CONFERENCE ON HIGHER EDUCATION, June 2009, Cairo.

OOMMEN, T. K. Internationalization of sociology: a view from developing countries. *Current Sociology*, v. 39, n. 1, p. 67-84, 1991.

RINGER, K. F. *Fields of knowledge*: French academic culture in comparative perspective, 1890-1920. Cambridge: Cambridge University Press, 1991.

ROMANI, V. *The politics of higher education in the Middle East*: problems and prospects. 2009. Crown Centre for Middle Eastern Studies, Middle East Brief. Disponível em: <www.brandeis.edu/crown/publications/meb/MEB36.pdf>.

SABOUR, M. *Homo academicus arabicus*. Publications in Social Sciences n. 11. Joensuu, Finlândia: University of Joensuu, 1988.

SLAUGHTER, S. Beyond basic science: research university presidents' narratives of science policy. *Science, Technology and Human Values*, v. 18, p. 278-302, 1993.

SOROS, G. *George Soros on globalization*. Nova York: Public Affairs, 2002.

STEVENS, M.; ARMSTRONG, E.; ARUM, R. Sieve, incubator, temple, hub: empirical and theoretical advances in the sociology of higher education. *Annual Review of Sociology*, v. 34, p. 127-151, 2008.

STIGLITZ, J. E. *Globalization and its siscontents*. Nova York: W. W. Norton, 2002.

SULTANA, R. The Euro-Mediterranean region and its universities: an overview of trends, challenges and prospects. *Mediterranean Journal of Educational Studies*, v. 4, n. 2, p. 7-49, 1999.

UNDP. United Nations Development Programme. *Arab human development report 2003*: Building a knowledge society. Nova York: UNDP, Regional Bureau for Arab States, 2003. Disponível em: <hdr.undp.org/en/reports/regionalreports/arabstates/name,3204,en.html>.

____. *Arab human development report 2009*: challenges to human security in the Arab countries. Nova York: UNDP, Regional Bureau for Arab States, 2009. Disponível em: <hdr.undp.org/en/reports/regional/arabstates/name,3442,en.html>.

UYS, T. Resistance to rating: resource allocation, academic freedom and citizenship. In: INTERNATIONAL SOCIOLOGICAL ASSOCIATION'S CONFERENCE CHALLENGES FOR SOCIOLOGY IN AN UNEQUAL WORLD, 23-25 March 2009, Taiwan.

WAAST, R. (Ed.). *Les sciences au sud — état des lieux*. Les sciences hors d'Occident au XXe siècle. Paris: Orstom, 1996. v. 6.

WIEVIORKA, M. Sociologie postclassique ou déclin de la sociologie? *Cahiers Internationaux de Sociologie*, v. 108, p. 5-35, jan./juin 2000.

WOLFE, A. Books vs articles: two ways of publishing sociology. *Sociological Forum*, v. 5, n. 3, p. 466-489, 1990.

YEW, K. L. *Globalizing the research imagination through building South-North dialogues*: a Southern perspective on the politics of cultural globalization in English language use. 2009. Disponível em: <www.globalautonomy.ca/global1/position.jsp?index=SN_Koo_Malaysia.xml>.

ZUGHOUL, M. The language of higher education in Jordan: conflict, challenges and innovative accommodation. In: SULTANA, R. (Ed.). *Challenge and change in the Euro-Mediterranean region*: case studies in educational innovation. Nova York: Peter Lang, 2000.

CAPÍTULO **2**

Publicação acadêmica internacional e o lugar do Brasil na sociologia global[1]

Eloísa Martín

ESTE ARTIGO parte da urgência de entendermos a publicação como um processo sistemático, coletivo e, em algum sentido, polifônico. Longe de ser apenas o fruto do gênio individual, o artigo que chega na mesa do leitor passou por vários momentos de escrita e reescrita, nos quais outras mãos colaboram como pareceristas, editores, membros de comitês editoriais — quando não tradutores, revisores, diagramadores e copidesques. Então, quando falarmos de publicação, visto do lado da produção pelo menos, devemos considerar os vários papéis nesse processo. As publicações não podem ser pensadas como o mero desovar dos resultados de pesquisa num veículo para sua disseminação, e muito menos como um simples índice da "produtividade" individual, mas como o resultado complexo de várias etapas e tomadas de decisão que envolvem trabalho coletivo. Nesse sentido, e para além da coletividade evidente nos casos de coautoria ou pesquisa em equipe, tal como mostrado no trabalho clássico de Knorr Cetina (2005), um trabalho publicado em uma revista acadêmica prestigiosa, necessariamente, passou pela maioria (se não por todas) dessas etapas: comentários e críticas das versões preliminares, pareceres dos avaliadores e do editor da revista à qual foi submetida, revisão e ressubmissão, para a mesma ou para outra revista acadêmica.

Nesse trabalho, analisarei as práticas de publicação dos *professores de* sociologia levantando algumas considerações sobre a produção e circulação do conhecimento em ciências sociais, a partir da análise das suas

---

[1] Os dados e reflexões do presente capítulo são baseados na pesquisa "Internacionalização da sociologia brasileira: práticas de publicação internacional dos sociólogos brasileiros e presença brasileira nos periódicos internacionais" financiada por um projeto Faperj APQ 1/2012.

práticas de publicação. Como afirma a neurocientista Suzana Herculano-Houzel (2013), a profissão de cientista não existe no país: são os professores universitários os que fazem ciência "nas horas vagas" e, de fato, sem receber qualquer compensação monetária pelo trabalho realizado. Por outro lado, como mostram Dwyer, Barbosa e Braga (2013), é a categoria de professor que majoritariamente caracteriza a atividade principal para os sociólogos e sociólogas brasileiros.[2]

Nas últimas décadas, os periódicos acadêmicos ganharam cada vez mais importância, ocupando um lugar central na definição das questões mais relevantes para os debates dentro de cada disciplina. Porém, as publicações não são apenas uma medida da produção e do alcance do conhecimento, nem o simples complemento necessário da atividade de pesquisa, entendida como aquilo que vincula o pesquisador com a comunidade. A escrita e sua ulterior divulgação são indissociáveis de e fundamentais para o próprio processo de investigação. Atualmente, publicar e, sobretudo, publicar em periódicos científicos prestigiosos define, mais do que qualquer outra atividade, o afazer sociológico e a atribuição de prestígio dentro do campo acadêmico.[3] Assim, as práticas de publicação respondem também objetivos agregados, alternativos e complementares (Vacarezza, 2000:22): a escolha de uma ou outra revista não necessariamente resulta de uma decisão a respeito do veículo que mais eficientemente divulgará os resultados. Às vezes inclui avaliações sobre onde poderá ser publicado mais rapidamente ou onde terá menos chances de ser rejeitado; pode estar mais relacionado com a necessidade de construir uma rede, de responder às demandas da própria instituição, ou de fazer ou retribuir um favor aos editores da revista. Em qualquer caso, como veremos aqui, essas decisões estão fortemente relacionadas a uma cultura acadêmica nacional, que pode ser verificada na maior frequência de determinadas decisões na hora de publicar um artigo.

---

[2] Os autores mostram que 70,7% dos que responderam ao *survey* organizado pela Sociedade Brasileira de Sociologia entre seus membros identificam a de professor como sua atividade principal, enquanto 13,9% se definem como pesquisadores (Dwyer, Barbosa e Braga, 2013:165).
[3] Vários estudos dão conta do espaço que investigação/publicação adquiriu sobre outras tarefas dentro do âmbito acadêmico, colocando a docência num plano muito relegado, em diversas partes do globo (Hanafi, 2011; Keim, 2008; Grediaga, 2007; González Rubi, 2007; Parra, 2007; Vacarezza, 2000).

Considerando o complexo processo que leva a uma publicação, e o trabalho coletivo envolvido nesse "produto" final que passará a ser contabilizado para a carreira individual desse pesquisador e para a avaliação do programa de pós-graduação ao qual pertence, neste artigo analisaremos algumas tendências da participação em publicações periódicas dos sociólogos brasileiros. Analisaremos tanto a frequência da publicação em periódicos, quanto a participação dos sociólogos como pareceristas, membros de comitês editoriais e editores. Sem essas atividades, invisibilizadas no sistema de avaliação e que, justamente por isso, geralmente sequer são inseridas no Lattes, a produção de conhecimento (e a publicação em periódicos, como um tipo muito específico de produto) não seria possível. Por outro lado, e atentando para a questão da internacionalização, a tarefa do parecerista, do editor e do membro de comitê editorial tem uma importância maior, especialmente em ciências sociais: não apenas para melhorar o "produto final", mas na elaboração dos critérios de relevância — central para a construção do conhecimento.

Dado que a exigência de publicação e internacionalização impacta com maior força o nível da pós-graduação, serão aqui considerados apenas os professores filiados a programas brasileiros de pós-graduação em sociologia, incluindo aqueles temáticos (como sociologia política), mistos (como sociologia e antropologia) e de ciências sociais, nos quais só serão analisados aqueles que, na graduação, estão ligados a departamentos de sociologia. Foi realizado então um censo das publicações a partir do divulgado individualmente no Currículo Lattes dos 485 professores afiliados a tais programas.[4] Dado que o presente capítulo considera a importância dos outros papéis envolvidos na publicação, na base de dados foi incluída também a atuação como editores, membros de comitês editoriais e pareceristas, de maneira a observar não apenas a

---

[4] Neste artigo, sou ciente tanto dos limites explicativos dos dados bibliométricos, quanto dos perigos do seu uso político. O problema maior, nesse sentido, reside em que os dados bibliométricos (qualquer que seja o índice utilizado) podem e são utilizados como parâmetros da qualidade da produção e, muito pior, do *valor* dos científicos. Assim, no número absoluto de publicações, mesmo que *qualificando* o tipo de publicação, a média anual tem pouco a dizer sobre como se faz ciência, quais são os arranjos e que tipo de conhecimento está sendo produzido. Este trabalho pretende refletir a partir de um mapa mais geral, e quantitativo, sobre uma parcela muito restrita — e hipervalorizada — da atividade científica, que é a publicação em periódicos.

participação em redes nacionais, regionais e internacionais, mas o tipo de estratégia de carreira — nem sempre consciente, nem sempre explícita — por trás de determinadas escolhas de participação na produção de conhecimento através das publicações. Os dados foram recortados no período dos últimos cinco anos, de janeiro 2009 até junho de 2014, de modo a se ter um quadro que contemple não apenas as exigências de avaliação dos programas de pós-graduação da Coordenação de Aperfeiçoamento de Pessoal de Nível Superior (Capes),[5] mas a entrada de novos professores, através de concursos públicos, nas universidades brasileiras e nas pós-graduações, e o aumento de recursos públicos (federais e estaduais) destinados não apenas ao financiamento da pesquisa, mas a estimular a publicação e a internacionalização, seja por meio de verbas diretas para a edição de livros, seja de subsídios para a participação em congressos internacionais e para a tradução de artigos a serem publicados em revistas em outras línguas.

Do que falamos, quando falamos em internacionalização?

Independentemente da disciplina em questão, nas instituições de ensino superior no Brasil, uma demanda comum é ouvida: internacionalização. E entre os vários esforços para consegui-la, uma em particular está no topo da lista: publicar em revistas acadêmicas de grande circulação e impacto. Ao mesmo tempo, publicar em revistas internacionais significa publicar em inglês. O alcance de revistas em espanhol, francês, árabe ou alemão está limitado a certas comunidades linguísticas que, embora transnacionais, não conseguiram ganhar *status* internacional. A predominância do inglês como um idioma acadêmico, global e privilegiado reforçou essa tendência.

Baseadas em instituições locais ou em associações de classe nacionais, no entanto, muitas das publicações que são consideradas "interna-

---

[5] O modelo de avaliação da Capes considera participações em congressos, comissões e assessorias e outros vínculos internacionais, mas tem valorizado crescentemente a publicação de docentes e discentes em revistas qualificadas (Ramos e Velho, 2013:236-237), que representam o 40% do total da nota obtida por um programa de pós-graduação.

cionais" — porque estão classificadas nas primeiras posições dos indexadores, têm alta repercussão e são editadas em inglês —, na verdade, não são verdadeiramente internacionais. Segundo a medição de Thomson Reuters do Fator de Impacto de 2013, três das cinco principais revistas do mundo na área de sociologia pertencem à Associação Norte-americana de Sociologia. *American Sociological Review* ocupa o primeiro lugar no *ranking*. *Sociological Methodology*, o terceiro. E *Sociological Theory* aparece em quinto lugar. Por definição, as revistas de associações nacionais de sociologia da América do Norte ou da Europa Ocidental estão preocupadas com o desenvolvimento de programas de pesquisa nacionais, o que não é um demérito. O problema é quando nas universidades e nas agências financiadoras das periferias consideram essas revistas como "internacionais" e se exige a publicação *justamente* nelas.

Para poder pensar na internacionalização da produção acadêmica e científica, é necessário levar em consideração duas circunstâncias. Por um lado, a despeito da suposta universalidade dos critérios de validação científica, apesar da cada vez maior circulação de estudantes e pesquisadores, da existência de instâncias coletivas supranacionais de classe, de *rankings* mundiais e de uma aparentemente língua franca que facilitaria a comunicação global, a produção científica é altamente nacionalizada. Não apenas em termos de campos de produção e recepção de ideias, como argumenta Bourdieu (2002), mas a partir de políticas de proteção e estímulo para a produção realizada nos limites e com os fundos dos estados nacionais. Assim, a promoção da pesquisa e da publicação tem se tornado uma "questão de Estado, podendo justificar um investimento de recursos do Tesouro Nacional em capital que é necessariamente incorporado por indivíduos singulares" (Garcia Jr., 2010:195). As políticas de internacionalização, paradoxalmente, têm convergido a reforçar práticas nacionalistas, individualistas e de concorrência (às vezes desleal) em lugar de cooperação.

Por outro, essa produção nacionalmente baseada se organiza a partir de uma divisão internacional do trabalho na qual alguns países produzem teorias, metodologias, critérios de relevância e avaliação como universais e universalizáveis enquanto outros países produzem dados, aplicam teorias e metodologias e adotam esses critérios de relevância e avaliação (Alatas, 2001, 2006; Alatas e Sinha-Kerkhof, 2010; Connell,

2007, 2011). No caso brasileiro, a própria Capes, preocupada de "atingir alto nível de qualidade, em consonância com padrões internacionais" (Moreira, 2009:30), deixa clara a posição subordinada da academia nacional enquanto não reconhece que esses padrões são, em definitivo, menos "internacionais" e mais resultado de uma determinada estruturação da hegemonia acadêmica que beneficia, logicamente, a quem faz as regras.

Como argumentam Frenken, Hoekman e Hardeman (2010:148), apesar da internacionalização na pesquisa e do crescente trabalho colaborativo, as regiões periféricas não estão mais bem integradas no sistema mundial das ciências sociais agora do que há 20 anos. Isso acontece ainda quando, conforme Tancredi (2011), se coloca como exigência uma colaboração e uma representação geográfica mais equitativa: as assimetrias persistem e corroboram a participação desigual das academias do Norte e do Sul. Nesse sentido, Connell (2011:288-289) adverte que internacionalizar não significa projetar para dentro modelos e perspectivas da Europa Ocidental e dos EUA: é preciso, em contrapartida, construir uma nova ciência social, "priorizando a experiência e o pensamento social da maioria do mundo". Assim, é preciso tomar distância tanto da visão que equipara modernidade e excelência com os modelos universitários do Norte, quanto de uma visão romantizada da escrita sociológica como processo autônomo e espontaneamente criativo, colocando como problema a ser discutido a questão da produção acadêmica e da internacionalização da sociologia.

Internacionalização acadêmica: qual é o lugar da sociologia brasileira?

Se depender da circulação de pesquisadores, tanto dos estrangeiros que vão para o Brasil para se formar, lecionar ou fazer pesquisa, quanto dos brasileiros que viajam ao exterior para se formar e fazer pesquisa, poderíamos afirmar que as ciências sociais brasileiras estão bem integradas ao diálogo internacional. Ademais, sociólogos e sociólogas brasileiros, nos diversos níveis de formação e em diferentes momentos das suas carreiras, participam assiduamente de eventos internacionais. De maneira impressionista, é possível dizer que os brasileiros têm uma presença maciça em eventos regionais,[6] o que é confirmado pelo *survey* de Dywer, Barbosa e Braga (2013), que indica que dois terços dos sociólogos filiados à Sociedade Brasileira de Sociologia já apresentaram trabalhos no exterior. No último congresso da Associação Internacional de Sociologia (ISA) no Japão, o Brasil ocupou a sétima colocação em termos de presença numérica, só depois dos anfitriões e de EUA, Alemanha, Reino Unido, França e Austrália, como se observa na tabela 1. Para Yokohama foram mais sociólogas que sociólogos, ademais de um número considerável de estudantes. Em ambos os casos, os brasileiros superaram as médias do evento: 61% de sociólogas ante 52% da média geral, e 31% de estudantes sobre 25% da média geral.

Tabela 1
Presença internacional no Congresso Mundial
de Sociologia da ISA, Yokohama 2014

País	Total em 2014	% de mulheres (2014)	% de estudantes (2014)	Total em 2010	Diferença entre 2010-14
Japão	986	44%	23%	205	380%
EUA	599	55%	24%	514	16,5%
Alemanha	408	53%	32%	424	-3,7%
Reino Unido	317	53%	23%	399	-20,5%
França	266	55%	31%	231	15,1%
Austrália	251	63%	27%	162	54,9%
Brasil	228	61%	31%	185	23,2%
Índia	189	46%	9%	120	57,5%
Canadá	187	53%	25%	176	6,2%
Rússia	169	63%	9%	111	52,2%

Fonte: Elaboração própria a partir dos dados da ISA dos congressos de Yokohama, 2014 (<www.isa-sociology.org/congress2014/wcs2014-statistics.htm>) e Gotemburgo, 2010 (<www.isa-sociology.org/congress2010>).

---

[6] Os brasileiros são maioria nos congressos organizados no Cone Sul. No último congresso da Associação Latino-americana de Sociologia em Santiago de Chile, em 2013, chegaram a ser organizadas filas de atendimento exclusivas.

Em linhas gerais, concordo com Dwyer, Barbosa e Braga (2013) sobre os benefícios da participação em eventos fora do Brasil e do aprendizado e possibilidades que esses eventos abrem para qualquer cientista. E é importante que a apresentação de trabalhos em congressos seja estimulada como prática profissional e sustentada com os recursos necessários para sua consecução bem-sucedida. No entanto, ainda que seja possível mostrar uma correlação positiva entre participação em eventos internacionais e publicações fora do Brasil, os dados não confirmam um crescimento proporcional entre ambas as variáveis.

Como se observa na tabela 2, no top 10 da presença internacional no último congresso da ISA, se encontram os cinco países que historicamente têm publicado mais em *Current Sociology*, a revista mais antiga da ISA e uma das mais prestigiosas na área de sociologia. Isso permitiria inferir que há nesses países uma cultura acadêmica que valoriza igualmente a publicação e a participação internacional. Desconsiderando o Japão, que pela sua condição de anfitrião aumentou geometricamente sua presença no evento, o que acontece com a publicação internacional desses nove países com maior presença no último congresso da ISA?

Tabela 2
**Cinco primeiros países publicados em *Current Sociology*,
segundo filiação acadêmica dos autores (1999-2009)**

País	% de artigos publicados
Inglaterra	17,8
Estados Unidos	13,7
Canadá	10
Alemanha	7,1
Austrália	4,4
Total	53%

Fonte: Elaboração própria a partir dos artigos publicados em *Current Sociology*.

Na década analisada, os autores brasileiros chegaram a 2,3% dos artigos publicados, o que representa pouco mais de um terço da presença latino-americana. Rússia publicou 1,3%, o que representa valores similares a Argentina e México (cada um com 1,2% do total de artigos), enquanto Índia, com 2,6% dos artigos na década, mantém um nível de participação semelhante ao brasileiro.

Essa tendência pode ser observada também se notarmos a totalidade de artigos publicados pelos cinco periódicos internacionais mais relevantes das ciências sociais, segundo o SSCI. Entre 1999 e 2009, observa-se que menos de 2% dos artigos publicados eram de autores brasileiros. Ainda com as políticas inclusivas da ISA, e tendo como autores os membros ativos dessa Associação, a presença brasileira em *Current Sociology* no mesmo período é levemente maior, chegando a 2,3% dos autores publicados. Esses valores são comparáveis a Argentina e México, mas distantes de outros países emergentes, como África do Sul, Índia, Cingapura ou Austrália, e o salto para alcançar as academias nacionais hegemônicas parece impossível.

Evidentemente, os dados quantitativos têm seus limites. Nada nos informam sobre o processo de publicação, as escolhas dos pesquisadores, sobre as sugestões dos pareceristas e muito menos sobre as decisões dos editores das revistas. Poder-se-ia argumentar que a baixa presença de autores de determinadas academias seria, ora um efeito estatístico (necessariamente, comunidades menores produziriam menos artigos), ora resultado do "controle de qualidade" do duplo parecer cego, que escolhe por mérito e, desse modo, a maior proporção de artigos das academias centrais seria resultado da maior qualidade da sua pesquisa. Como veremos em seguida, é possível contestar ambos os argumentos.

Na tabela 3, elaborada a partir dos dados de Scopus para ciências sociais coletados em 2007 e organizados no relatório do World Social Sciences Forum (Unesco, 2010), vemos que, efetivamente, as "grandes academias" norte-americana e europeia têm uma participação maior no número de publicações indexadas.[7]

---

[7] É importante sublinhar que os dados do Scopus também compreendem um número limitado de publicações, majoritariamente em inglês, e que esses dados não dão conta das publicações totais produzidas num determinado país, no período mencio-

Tabela 3
Comparação nacional sobre número absoluto de artigos publicados em ciências sociais com base nos dados de Socsi/Scopus 2007

País	N. de artigos publicados (2007)
EUA	30.874
Reino Unido	13.732
Alemanha	4.651
Austrália	4.540
França	2.872
Brasil	1.627
Índia	1.496

Fonte: Elaboração própria a partir de dados do WSSF Report (Unesco, 2010).

Porém, sem uma base comum que nos permita comparar as diferentes academias, pouco podemos dizer sobre o impacto global dessas publicações e sua representatividade. E, como se observa na tabela 3, ainda que estatisticamente seria plausível esperar que comunidades acadêmicas maiores tendencialmente mostrem uma participação diretamente proporcional no montante geral das publicações, na prática, nem sempre é assim. Se consideramos como base para o cálculo das dimensões das academias o número de alunos de graduação, como se mostra na tabela 4, vemos que nem sempre as academias maiores são as que têm uma prática de publicação proporcional. A proporção de artigos de ciências sociais publicados em um ano a cada 10 mil alunos de graduação dá conta de que os Estados Unidos publicam proporcionalmente menos do que o Reino Unido, Austrália ou Alemanha.

---

nado. Nesse sentido, os dados da minha pesquisa coletados nos CVs Lattes fornecem um quadro mais apropriado do montante da publicação brasileira.

Tabela 4
Razão de artigos publicados em ciências sociais (2007)
a cada 10 mil alunos de graduação (2006)

País	Artigos publicados:10 mil alunos
UK	217
Austrália	115
Alemanha	74,1
EUA	64
França	37
Brasil (2005)	8,7
Índia (2000)	2,6

Fonte: Elaboração própria a partir de dados do WSSF Report (Unesco, 2010).

Segundo dados do MEC, nos últimos 10 anos, o número de profissionais pós-graduados cresceu próximo de 100% no país.[8] Ainda que nem todos esses profissionais venham a se inserir na academia, o número de publicações, segundo Schwartzman (2010:41), deveria ser uma função direta do número de doutores. No entanto, a proporção do crescimento esperável nas publicações não necessariamente se verifica e a presença de autores brasileiros nos periódicos internacionais de ciências sociais não tem acompanhado essa tendência, independentemente das políticas de estímulo ou coação que exercem algumas universidades, ou das políticas editoriais de estímulo à publicação das academias periféricas de instituições como a ISA e de revistas como *Current Sociology*.

Na tabela 5 se mostra que, nos últimos três anos, houve uma diminuição de quase 5% da presença de autores filiados à universidade dos cinco países com maior frequência em *Current Sociology*. Esse decréscimo é produto de uma política editorial que buscou pluralizar a base de autores (Martin, 2012) e que teve como resultado uma maior quantidade de autores do Oriente Médio, Ásia e América Latina.

---

[8] Em 2002, o país contava com 23,4 mil mestres e 6,8 mil doutores. Em 2012, se calculava que iriam se formar 41,3 mil mestres e 13,3 mil doutores, segundo dados enviados pela Assessoria de Comunicação Social do MEC.

Tabela 5
Artigos aceitos e enviados para publicação *Current Sociology*, 2011-13

País	% de artigos aceitos	% de artigos enviados
Alemanha	4,7	8,8
Austrália	6,25	7,2
Brasil	0	2,4
Canadá	14	8
EUA	11	12
França	4,8	4
Índia	0	1,6
Reino Unido	12,5	12,8
Rússia	0	0

Fonte: Dados de elaboração própria a partir do total de artigos submetidos e aceitos para publicação em *Current Sociology*, entre 1º jan. 2011 e 31 dez. 2013.

Austrália, Alemanha, Canadá, Estados Unidos e o Reino Unido ainda concentram uma grande parcela da presença na revista, ainda que com esse leve declínio, chegando a 48,4% dos artigos aceitos para publicação entre 2011 e 2013. Mas eles representam também a parcela maior dos pesquisadores que enviam artigos para a revista, chegando a 48,8% no mesmo período. Não se trata, então, de que esses países tenham, por definição, uma ciência de melhor qualidade e, portanto, mais facilmente publicável, senão que formam parte de uma cultura acadêmica onde a submissão de artigos para publicação é uma atividade corriqueira. E, nessa linha, é possível afirmar que há menos publicações de brasileiros no exterior não porque sua produção seja de menor qualidade, mas porque também enviam menos artigos para consideração a revistas fora do país.

O desinteresse das revistas internacionais mais prestigiosas pela produção brasileira é um dos motivos que aqueles pesquisadores que têm tentado publicar "lá fora" esgrimem como a principal causa da desistência em internacionalizar sua produção textual. Mas, como vemos no caso de *Current Sociology*, os últimos quatro anos mostram que a taxa de rejeição é proporcionalmente menor para os autores do Sul Global. Os pesquisadores do Brasil encaminham menos artigos do que aqueles que pertencem às academias centrais, e isso não responde a questões estatísticas, pois desde academias também periféricas e demograficamente menores (como Israel ou Cingapura) são encaminhados mais artigos, em termos absolutos, que desde o Brasil. A explicação pela escassa presença internacional dos brasileiros nas publicações não passa apenas, então, pelo mencionado desinteresse das revistas estrangeiras.

Em linha com o argumentado no artigo de Dywer, Barbosa e Braga (2013), a sociologia brasileira tem no âmbito nacional seu principal espaço de diálogo e publicação. Os dados dos currículos Lattes dos professores filiados a programas de pós-graduação em sociologia e ciências sociais mostram que, nos últimos cinco anos, a relação entre publicação nacional e internacional é de 4:1, e não se distribui homogeneamente. Existe um número pequeno de pesquisadores e pesquisadoras com uma constante presença internacional, enquanto a grande maioria apenas publica em periódicos nacionais.

Ainda que se verifique, em muitos casos, uma enorme dificuldade da cultura acadêmica local de pensar fora e para fora de Brasil, o que impede recolocar os temas de pesquisa locais em função de problemas globais, também é verdade que, como adverte Ortiz (2004), o inglês "pauta" o debate acadêmico. Não se trata, porém, de uma mera questão idiomática que poderia ser resolvida com mais fundos para tradução: o que o predomínio do inglês acarreta é a hegemonia de um conjunto de representações próprias das culturas acadêmicas centrais, que passam a ser aceitas como válidas e universalizáveis. Portanto, a brecha é mais larga e precisa ser avaliada e resolvida, com recursos, mas, sobretudo, com estratégias de ensino e treinamento em comunicação acadêmica para os pesquisadores de todos os níveis.

O *survey* aplicado entre os sócios da SBS dá conta que, entre 1999 e 2009, os sociólogos preferiram publicar mais em periódicos nacionais (77,4%) do que em revistas fora do Brasil (27,3%). Dentre as revistas estrangeiras, a maioria dos sociólogos tem escolhido as europeias dentre as quais duas das cinco mais mencionadas são portuguesas (Dwyer, Barbosa e Braga, 2013:167-169). Os dados do meu levantamento no Lattes mostram um aprofundamento dessa tendência nos últimos cinco anos. Assim, como se observa no gráfico 1, de um total de 3.412 artigos publicados em periódicos acadêmicos no período entre janeiro de 2009 e maio de 2014, 82,1% foram publicados em revistas nacionais e 17,9% em revistas fora do Brasil.

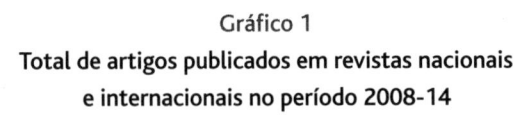

Gráfico 1
Total de artigos publicados em revistas nacionais e internacionais no período 2008-14

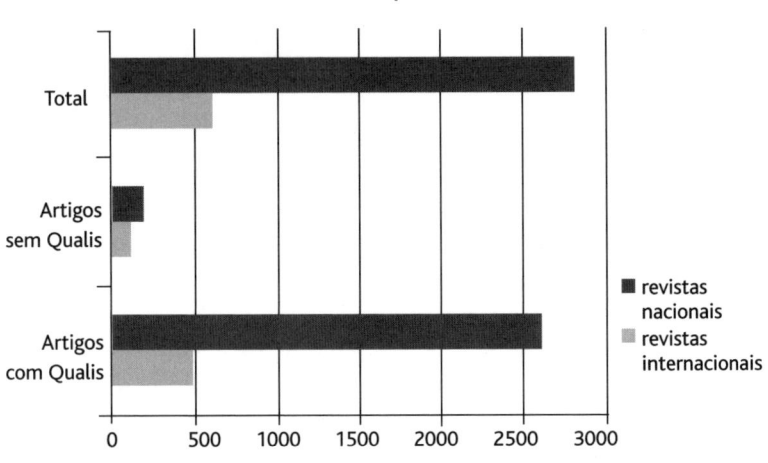

Fonte: Elaboração própria a partir dos CV Lattes dos professores filiados a programas de pós-graduação em sociologia.

Os dados do Lattes parecem mostrar uma clara escolha pelas revistas nacionais e pelas revistas *qualificadas*,[9] o que certamente responde a um cálculo estratégico: o custo em tempo e energia que leva preparar um artigo para publicação precisa "contar". E só "contam" as revistas indexadas no Qualis. Proporcionalmente, então, o investimento em publicações periódicas dos sociólogos se concentra em revistas qualificadas, onde são publicados quase 93% dos artigos nacionais e 80,4% dos artigos internacionais, como se observa na tabela 6.

---

[9] Enquanto sistema de avaliação baseada em critérios locais, o Qualis é uma tentativa louvável, mas que precisa ser melhorada. Os critérios pelos quais as revistas são classificadas incluem tanto requisitos objetivos, quanto decisões políticas — afinal, a maioria das revistas nacionais pertence a programas de pós-graduação que se beneficiam da melhor *quali(s)ficação* das suas revistas. Como consequência, revistas consideradas A1 nacionais são dificilmente comparáveis com suas contrapartes internacionais, ao tempo que algumas revistas internacionais de grande prestígio aparecem *desquali(s)ficadas*.

Tabela 6
Artigos publicados em revistas internacionais e nacionais, com e sem Qualis, no período 2008-14

	Revistas internacionais		Revistas nacionais	
	n	%	n	%
Artigos com Qualis	491	80,4	2602	92,9
Artigos sem Qualis	120	19,6	199	7,1
Total	611	100	2801	100

Fonte: Elaboração própria a partir dos CV Lattes dos professores filiados a programas de pós-graduação em sociologia.

A existência de publicações em outras línguas exige dos pesquisadores brasileiros um diálogo para além das fronteiras nacionais que nem sempre é o caminho mais *racional*: a estrutura acadêmica brasileira — com seu bem-sucedido sistema de pós-graduação, associações científicas nacionais com centenas de filiados, numerosas revistas e fundos para editar livros — solidifica uma base de diálogo e certa *cultura* acadêmica (verificada nos temas, nos estilos de escrita, nas referências comuns) que muitas vezes inibe a circulação internacional da produção. Sendo o próprio Brasil o horizonte de pesquisa, mas também de diálogo, "tradicional" e legítimo, e tendo excelentes condições (institucionais e de fomento) de realizar carreiras acadêmicas bem-sucedidas de portas para dentro, nem sempre foi considerada uma prioridade a participação internacional, para além dos modelos mencionados anteriormente, de formação e treinamento no exterior. Se bem que, atualmente, essa situação poderia ser forçada a mudar; considerando as exigências das instituições de fomento e avaliação, os dados da minha pesquisa mostram que a tendência à produção no âmbito nacional é aprofundada justamente em razão das exigências de avaliação dos mesmos organismos que privilegiam a quantidade de artigos em revistas qualificadas por sobre qualquer critério qualitativo de participação em diálogos acadêmicos relevantes. A proporção de artigos publicados em revistas internacionais sem Qualis (tabela 6) pode assinalar uma necessidade urgente de rever os critérios de inclusão e de práticas mais expeditivas e explícitas da inclusão e avaliação, que estimulariam também a publicação no exterior.

Qual o lugar da internacionalização nas ciências sociais no Brasil?

Diferentemente do que acontece nos países aglofônicos do Sul Global, a América Latina padece de uma limitação extra para a disseminação do conhecimento aqui produzido, por causa das línguas. Segundo Gingras e Mosbah-Natanson (2010) e Mosbah-Natanson e Gingras (2014), a hegemonia do inglês na produção de ciências sociais verifica-se no fato de que mais dos 80% dos periódicos acadêmicos em ciências sociais são editados em inglês, assim como mais dos 75% das publicações na *International Bibliography of the Social Sciences*. E são apenas quatro países — Estados Unidos, Inglaterra, Holanda e Alemanha — que publicam dois terços dos periódicos mais influentes na área. Em contrapartida, Oceania, América Latina e África contribuem, cada uma, com menos de 5% da produção mundial de artigos (Mosbah-Natanson e Gingras, 2010: 143-144).[10]

Para Gingras e Mosbah-Natanson (2010) e Mosbah-Natanson e Gingras (2014), a publicação em inglês e a internacionalização não devem ser lidas como signo de abertura, diversidade e democratização das ciências sociais, pois esse processo consolida as desigualdades da divisão do trabalho acadêmico, favorecendo principalmente as regiões previamente dominantes: Europa Central e EUA. Concomitantemente, o uso acrítico dos *rankings* (criados, também, por empresas situadas nessas regiões) como parâmetro para a avaliação da excelência só reforça essa tendência e aprofunda a brecha entre centros e periferias.

Há outra questão que parece conspirar contra o esforço para a publicação internacional em revistas ranqueadas, que se refere ao tipo de artigos que essas revistas publicam. As mais bem classificadas nos *rankings* de Web of Science e Scopus são revistas estadunidenses, com ênfase em estudos quantitativos. Como essas revistas, de fato, não têm

---

[10] A situação da Ásia está mudando paulatinamente e tem crescido desde a virada do milênio, representando quase 9% da produção mundial (Gingras e Mosbah-Natanson, 2010:144).

uma preocupação teórica e têm claramente uma orientação nacional, em que sentido estudos qualitativos e reflexões sobre o Brasil seriam publicáveis? Só se for em termos comparativos, a partir de critérios de relevância próprios. Portanto, não qualquer tema e não qualquer perspectiva teórico-metodológica são considerados relevantes.

Mas não se trata apenas disso. Nos encontramos na situação descrita por Alatas (2003:604-605), em que, apesar de uma significativa quantidade de trabalhos empíricos, não existe uma análise teórica ou metateórica local. Como afirma Costa (2014), na sociologia dos últimos anos não têm surgido novos nomes na teoria, e isso seria justificado por discursos de deslegitimação desse tipo de esforço. Discursos originados nos centros acadêmicos, mas que reverberam e se multiplicam no Sul — especialmente entre aqueles que trabalham em redes de colaboração ou coautoria com o Norte. É nesse sentido que Costa sublinha que os sociólogos e sociólogas mais renomados na atualidade "produzem mais trabalhos empíricos do que teóricos. As pessoas dentro das universidades, aquelas que têm maior poder de decisão nos grêmios internacionais e nos grandes projetos de pesquisa, produzem trabalhos empíricos muito pobres teoricamente" (Costa, 2014:s.p.). O problema não é, mais uma vez, que algumas pessoas produzam trabalhos meramente descritivos, mas que aqueles que são detentores do prestígio, e que ocupam espaços de decisão e de avaliação sobre o trabalho e sobre os recursos que outros pesquisadores e pesquisadoras podem aceder ou não, fazem trabalho empírico. E que exigem um ritmo de produtividade que pode muito bem se adequar ao das ciências duras, pois são grandes equipes que produzem dados cuja finalização termina na explicação descritiva, mas que não se adequa ao ritmo da produção de teoria, que requer outro tipo de disposição, de trabalho, de leitura — muito mais solitário às vezes, muito menos glamoroso e mais difícil de transmitir pelas redes sociais do que as tabelas e estatísticas.

Por último, gostaria de considerar como uma estratégia indispensável para a internacionalização e o bom exercício científico a prática de realizar pareceres.

Todas as medições sobre as práticas de escrever, publicar e apresentar trabalhos estão centradas no autor e *contam* tanto em termos de prestígio acadêmico, quanto em função dos diversos indicadores de produtividade e avaliação. Em contrapartida, revisar, dar pareceres e editar apontam para o processo coletivo de produção de conhecimento e são invisibilizadas nos indicadores. Como nessas atividades não há uma noção de autoria identificável, nem poderia ter, pois se parte do suposto do anonimato, dificilmente podem ser contadas da mesma maneira que os artigos ou as apresentações. No entanto, essas atividades de revisão, avaliação e edição são tanto ou mais centrais para a internacionalização que a simples contagem de publicações/apresentações fora do Brasil, pois participam dos bastidores onde são discutidos, reproduzidos e muitas vezes estabelecidos os critérios de relevância de uma disciplina.

No levantamento realizado na base Lattes, em cinco anos, foram contabilizados apenas 1.890 pareceres emitidos para revistas científicas. Se esse dado fosse preciso, os sociólogos teriam feito, em média, apenas 3,9 pareceres em cinco anos, mas, de fato, a partir de entrevistas, é possível afirmar que esse valor estaria mais próximo à média anual de qualquer pesquisador filiado a um programa de pós-graduação e, em alguns casos, à média semestral de um pesquisador mais engajado. A explicação mais recorrente para a falta de registro ou para o registro errático desses pareceres radica em que eles "não são necessários" (em termos de carreira, avaliação) ou "não contam".

Os dados sobre pareceres que, de fato, foram ingressados ao CV Lattes pelos sociólogos nos permitem observar a mesma tendência ao privilégio no diálogo no nível nacional que se observa nas publicações. Do total de pareceres realizados, 85,7% correspondem a revistas nacionais e apenas 14,3% foram realizados para revistas internacionais. Participar dos processos de avaliação que discutem e elaboram os critérios de relevância da produção internacional do conhecimento é tanto ou mais importante do que publicar; portanto, também essas participações *precisam contar*. Considerando o conjunto dos periódicos não brasileiros, a relação dos pareceres internacionais e nacionais é de 1:10, o que revela, mais do que a publicação e mais do que o famigerado Fator H, uma participação muito limitada no diálogo global. Ao mesmo tempo, e de maneira esperável, o *número* de pareceres internacionais se recorta entre aqueles pesquisadores que já participam do diálogo global e publicam fora do Brasil.

A modo de conclusão: os danos colaterais das políticas de avaliação focadas no produtivismo

Os dados apresentados neste trabalho mostram que as estratégias de publicação dos sociólogos brasileiros privilegiam o âmbito nacional por sobre a participação internacional, e que essa ênfase no diálogo local se vê reforçada pelas práticas que resultam da aplicação do modelo de avaliação da pós-graduação da Capes que, paradoxalmente, procura atingir níveis de qualidade com padrões internacionais.

O modelo de avaliação da Capes é predominantemente quantitativo e centrado nos programas de pós-graduação. A Capes avalia a performance de um coletivo de professores e alunos num período determinado, buscando atender os diversos ciclos da produção científica e as diversas atividades da profissão acadêmica. Porém, na prática, a carreira dos programas por alcançar os níveis mais altos no *ranking*, que redundam em prestígio e recursos, tem afetado as práticas de pesquisa, docência e publicação no nível individual, alterando, como aponta Moreira (2009:32), as atividades rotineiras de trabalho, as relações intersubjetivas e "contribuindo para que essas relações se pautem não pela solidariedade, mas pela competição".

Paralelamente, os professores que ensinam, orientam, pesquisam e publicam para um determinado programa de pós-graduação são os mesmos que lecionam na graduação, para a qual se aplicam outros critérios de avaliação. Assim, o que "mede" para qualificar cursos de graduação na Capes, não "mede" na pós-graduação, gerando tensões nos espaços de trabalho e na vida do próprio professor. Afinal, quem recebe seu salário como professor precisa estabelecer estratégias para manter um determinado nível de publicações trienais de maneira a colaborar com a manutenção da nota na pós e o seu acesso a recursos de pesquisa. E isso, em muitos casos, termina afetando diretamente as decisões sobre o que, quem e como se dá aula na graduação, colocando em risco a formação dos futuros pesquisadores e pesquisadoras.

Como foi mostrado, os dados da minha investigação corroboram tendências presentes em outras pesquisas, o que nos permite afirmar que, cada vez mais, as decisões dos professores filiados a programas de pós-graduação (e, alinhados, dos discentes com aspirações acadêmicas) estão subordinadas aos indicadores de desempenho valorizados pela Capes, deixando de registrar (e, possivelmente, de assumir) tarefas que "não contam", mas que são centrais para a supervivência da comunidade científica. Entre algumas das consequências mais graves, podemos contar:

No que tange às publicações, a tendência nos últimos anos parece levar a um crescimento geométrico das revistas (em quantidade de títulos e em volumes publicados por ano) e do número de artigos, e a uma pressão maior (dos organismos de fomento à pesquisa e dos programas de pós-graduação) de engordar a contabilidade dos artigos publicados pelos professores em revistas qualificadas, sem importar muito onde ou o que é publicado.

Como resultado da injeção de recursos específicos para publicação, muitos programas de pós-graduação e não poucos professores têm optado por publicar livros em editoras comerciais locais que, sem qualquer avaliação ou parecer, publicam aquilo pelo qual são remuneradas. Isso tem aumentado, também, o número de editorias, algumas delas criadas *ad hoc* para a divulgação dos trabalhos de colegas e afins. Se consideramos que as publicações — tanto livros quanto periódicos — não são um mero veículo para "desovar" textos, mas espaços de diálogo, de consolidação de redes, de discussão de critérios de relevância, é fundamental repensar criticamente essa inflação do campo editorial.

Muitos editores de revistas acadêmicas, por outro lado, insistem que a qualidade dos pareceres costuma ser bastante desigual e que muitos pareceres são realizados sem qualquer compromisso com o debate acadêmico ou com a qualidade mínima esperada de um artigo. Assim, a revisão de pares, porque "não conta", vira um "faz de conta", socavando um pilar fundamental da prática científica.

Plágio, autoplágio, *fractional papers*, *salami slicing*, rodízio de autores e outras trapaças aparecem como estratégias de manutenção dos recordes de publicações em revistas qualificadas, cujo número mínimo em alguns casos é estabelecido a partir de algum tipo de critério objetivo, mas não poucas vezes estabelecido em função de critérios arbitrários e do patrulhamento ideológico. Se o que "conta" como critério de avaliação é o volume, por que deveríamos esperar que a qualidade, a criatividade e a sofisticação intelectual sejam priorizadas?

O quadro que tensiona as atividades de ensino, pesquisa e publicação não é novo. As mudanças na educação superior e nas condições de trabalho dos professores dão conta de tendências internacionais que afetam, ainda que de maneiras diferentes, aos acadêmicos de maneira global. Enquanto existe um debate em andamento sobre essa situação na Europa e nos EUA, nas academias periféricas tem se outorgado uma atenção mínima ao impacto do neoliberalismo na educação superior. As discussões e críticas a respeito já têm mais de 20 anos e atingem todas as áreas da ciência (Waters, 2006; Eveleth, 2014), mas pouco tem se avançado em soluções reais.

A medida do sucesso das ciências no Sul Global, e do Brasil em particular, está determinada por alcançar o nível das ciências do Norte, pois são elas o padrão do êxito, da relevância, da excelência. Os modelos de avaliação que procuram seguir um "padrão internacional" são adotados, muitas vezes de maneira acrítica, no contexto brasileiro como padrões objetivos e universais. Curiosamente, a aplicação desses modelos tem como resultado práticas de pesquisa e publicação cada vez mais endogâmicas, sendo as estratégias mais racionais, não apenas para manter um número mínimo de publicações qualificadas por triênio nas pós-graduações, mas como modelos de carreira legítimos e valorizados.

Participar do diálogo internacional, a partir da presença nos congressos, da participação em redes e da publicação, é uma exigência institucional, mas, sobretudo, é uma condição indispensável para o desenvolvimento da comunidade científica. No que tange aos pesquisadores do Sul Global, é a maneira mais eficiente de intervir na disputa pela elaboração dos critérios de relevância dentro de cada disciplina. Em boa parte, a saída do lugar de subordinação das academias periféricas — incluída a brasileira — depende também do compromisso quotidiano de cada um de nós, em qualquer momento da carreira que estejamos, no exercício das nossas atividades profissionais. Compromisso que, como a sociologia, precisa ser um projeto coletivo e necessariamente dialógico.

Referências

ALATAS, Farid. Academic dependency and the global division of labour in the social sciences. *Current Sociology*, v. 51, n. 6, p. 599-613, 2003.

____. The study of the social sciences in developing societies: towards an adequate conceptualization of relevance. *Current Sociology*, v. 49, n. 2, p. 1-19, 2001.

____. *Alternative discourses in Asian social science*. Responses to Eurocentrism. Delhi: Sage, 2006.

____; SINHA-KERKHOF, Kathinka. *Academic dependency in social sciences*. Structural reality and intellectual changes. Delhi: Manohar; Sephis; Adri, 2010.

BOURDIEU, Pierre. Les conditions sociales de la circulation internationale des idées. *Actes de la recherche en sciences sociales,* 2002/5, n. 145, p. 3-8, 2002.

CONNELL, Raewyn. Sociology for the whole world. *International Sociology*, v. 26, n. 3, p. 288-291, 2011.

____. *Southern theory*: the global dynamic of knowledge in social science. Cambridge: Polity Press, 2007.

COSTA, Sergio. Assimetrias na circulação do conhecimento. 2014. Disponível em: <http://circuitoacademico.com.br/2014/07/18/assimetrias-na-circulacao-do-conhecimento-entrevista-com-o-professor-sergio-costa-parte-3/>. Acesso em: 18 jul. 2014.

DWYER, Tom; BARBOSA, M. Ligia; BRAGA, Eugenio. Esboço de uma morfologia da sociologia brasileira: perfil, recrutamento, produção e ideologia. *Revista Brasileira de Sociologia*, v. 1, n. 2, p. 147-178, 2013.

EVELETH, Rose. Academics write papers arguing over how many people read (and cite) their papers. *Smithsonian.com*, 25 mar. 2014. Disponível em: <www.smithsonianmag.com/smart-news/half-academic-studies-are-never-read-more-three-people-180950222/?no-ist>. Acesso em: 28 ago. 2014.

FRENKEN, Koen; HOEKMAN, Jarno; HARDEMAN, Sjoerd. The globalization of research collaboration. In: UNESCO. *World social science report*. Knowledge divides. Paris: Unesco, 2010. p. 144-148.

GARCIA JR., Afrânio. Vantagens e armadilhas do atraso. Estudos internacionais e recomposição das elites dirigentes no Brasil em perspectiva comprada. In: CANÊDO, Letícia; TOMIZAKI, Kimi; GARCIA JR., Afrânio (Org.). *Estratégias educativas das elites brasileiras na era da globalização*. São Paulo: Fapesp; Hucitec, 2010.

GINGRAS, Yves; MOSBAH-NATANSON, Sébastien. Where are social sciences produced? UNESCO. *World social science report*. Knowledge divides. Paris: Unesco, 2010. 149-153

GONZÁLEZ RUBÍ, Guillermo. Investigar hoy: una mirada a los patrones emergentes en la producción de conocimiento. *Sociológica*, v. 22, n. 65, p. 81-102, 2007.

GREDIAGA, Rocío. Tradiciones disciplinarias, prestigio, redes y recursos como elementos clave del proceso de comunicación del conocimiento. El caso mexicano. *Sociológica*, v. 22, n. 65, p. 45-80, 2007.

HANAFI, Sari. University systems in the Arab East: publish globally and perish locally vs publish locally and perish globally. *Current Sociology*, v. 59, n. 3, p. 291-309, 2011.

HEILBRON, Johan. The social sciences as an emerging global field. *Current Sociology*, v. 62, n. 5, p. 685-703, 2014.

HERCULANO-HOUZEL, Suzana. Direto de Brasília: regulamentação da profissão de cientista. 2013. Disponível em: <www.suzanaherculanohouzel.com/journal/2013/8/14/direto-de-brasilia-regulamentaco-da-profisso-de-cientista.html>. Acesso em: 20 out. 2013.

KEIM, Wiebke. Social sciences internationally: the problem of marginalisation and its consequences for the discipline of sociology. *African Sociological Review*, v. 12, n. 2, p. 22-48, 2008.

KNORR CETINA, Karim. *La fabricación del conocimiento*. Un ensayo sobre el carácter constructivista y contextual de la ciencia. Bernal: Universidad Nacional de Quilmes Editorial, 2005 [1981].

MARTÍN, Eloísa. Making sociology current through international publication: a collective task. *Current Sociology*, v. 60, n. 6, p. 832-837, 2012.

MOREIRA, Antônio Flávio. A cultura da performatividade e a avaliação da pós-graduação em educação no Brasil. *Educação em Revista*, v. 25, n. 3, p. 23-42, dez. 2009.

MOSBAH-NATANSON, Sébastien; GINGRAS, Yves. The globalization of social sciences? Evidence from a quantitative analysis of 30 years of production, collaboration and citations in the social sciences (1980-2009). *Current Sociology*, v. 62, n. 5, p. 626-646, 2014.

NGOBENI, Solani. *Scholarly publishing in Africa*. Opportunities & impediments. África do Sul: Africa Institute of South Africa, 2010.

ORTIZ, Renato. As ciências sociais e o inglês. *Revista Brasileira de Ciências Sociais*, v.19, n. 54, 2004, p. 5-23.

RAMOS, Milena Yumi; VELHO, Lea. Formação de doutores no Brasil: o esgotamento do modelo vigente frente aos desafios colocados pela emergência do sistema global de ciência. *Avaliação*, v. 18, n. 1, p. 219-246, 2013.

ROJAS, Fabio. One discipline, two tracks: an analysis of the journal publication records of professors in Africana studies doctoral programs. *Journal of Black Studies*, v. 39, n. 1, p. 57-68, 2008.

SCHWARTZMAN, Simon. Nota sobre a transição necessária da pós-graduação brasileira. BRASIL. Ministério da Educação. Capes. *Plano Nacional de Pos-Graduação — PNPG 2011-2020*. Brasília: MEC. 2010. v. 2, p. 34-52.

TANCREDI, Elda. Asimetrías de conocimiento científico en proyectos ambientales globales — la fractura Norte-Sur en la evaluación de ecosistemas del milênio. *desiguALdades.net Working Paper Series*, n. 7, Berlim: desiguALdades.net Research Network on Interdependent Inequalities in Latin America, 2011.

UNESCO. *World social science report*. Knowledge divides. Paris: Unesco, 2010.

VACAREZZA, Leonardo. Las redes de desempeño de la profesión académica. Ciencia periférica y sustentabilidad del rol de investigador. *Redes*, v. 7, n. 15-43, 2000.

VANDERSTRAETEN, Ralf. Scientific communication: sociology journals and publication practices. *Sociology*, v. 44, n. 3, p. 559-576, 2010.

WATERS, Leslie. *Inimigos da esperança*: publicar, perecer e o eclipse da erudição. São Paulo: Editora da Unesp, 2006 [1997].

CAPÍTULO **3**

Projeções do contemporâneo na ficção latino-americana

Wander Melo Miranda

A ABORDAGEM de textos literários latino-americanos contemporâneos, vistos sob o prisma da margem artística que os constitui na sua singularidade, supõe considerar os processos de legitimação textual, as estratégias de constituição de cânones e arquivos culturais, bem como as articulações entre experiência vivida, produção ficcional e organização social. Para tanto, é necessário o exame de algumas estratégias discursivas utilizadas pelos sistemas literários nacionais e transnacionais, especialmente em obras situadas em espaços fronteiriços e entendidas como processos tradutórios que permitem o redimensionamento de tradições literárias e culturais.

No caso da literatura brasileira, algumas perguntas se impõem. Quando a literatura brasileira deixa de ser uma alegoria do nacional? Mais precisamente, quando a narrativa do destino individual privado não é um construto alegórico da situação conflituosa da cultura e da sociedade, refém de toda sorte de nacionalismos? Ainda em outros termos, em que momento a literatura passa a não exercer entre nós a função de mediadora privilegiada entre a sociedade e o Estado-nação, papel que dos primeiros românticos aos modernistas desempenhou com força artística persuasiva e impulso ideológico decisivo?

Pensar a questão nos dias atuais supõe o fim do paradigma moderno que atrelava o novo ao nacional, considerados fatores prioritários na definição do cânone literário do país. Requer, em consequência, que o texto assuma como espaço de enunciação um entre-lugar discursivo, formado pelo diálogo da literatura com outras artes e linguagens, em vista disso propício a novas formas de articulação estética e política. Tem-se, então, um objeto literário híbrido em sua configuração e heterogêneo quanto ao seu lugar na ordem dos discursos. É o caso dos textos de expoentes de gerações anteriores à atual, como Dalton Trevisan, Rubem Fonseca, Silviano Santiago, Sérgio Sant'Anna e João Gilberto Noll, que continuam a publicar regularmente.

Para a nova situação, foram determinantes as transformações ocorridas no campo das artes em virtude da globalização, plenamente atuante nos últimos decênios do século XX, a ponto de tornar evidente a necessidade de romper hierarquias discursivas e redimensionar escalas de valor. Surgem ou se afirmam novos mecanismos de legitimação do trabalho do escritor, dependente cada vez mais do mercado (grandes grupos editoriais), do marketing cultural (valiosos prêmios e prestigiosas festas literárias), das novas mídias (blogs, Twitter), além de bolsas concedidas por instituições nacionais e internacionais.

Até que ponto a ficção brasileira recente incorporou esses fatores, deu-lhes forma e linguagem literárias, não é possível ainda medir com rigor. Nem demarcar limites rígidos entre os escritores da chamada "geração 90" — como Marçal Aquino, Marcelino Freire, Nelson de Oliveira — e os atuais. Mesmo porque alguns traços distintivos permanecem na passagem de um milênio a outro: temática urbana, subjetividades em conflito, dicção hiper-realista, reflexão intimista, viés ensaístico e metaficcional da escrita. Cabe apenas ressaltar o que de mais significativo constitui a produção literária recente, sua razão de existência e da tarefa do escritor, velha questão que retorna sem a "ansiedade da influência" em relação aos mestres do passado.

O escritor argentino Ricardo Piglia prefere chamar de "famílias literárias" o modo contemporâneo de afiliação de textos, menos neurótico diante da tradição nacional e mais condizente com as formas de apropriação que diferenciam e ao mesmo tempo aproximam um escritor de outro. Esse modo possibilita a associação em rede, em última instância, transnacional, que opera com a desconstrução de estereótipos culturais e de convenções ideológicas, numa concepção de história para a qual convergem temporalidades distintas e simultâneas. De modo geral, essa concepção revela projeções de alteridade, nascidas do encontro de povos, costumes e civilizações, que o texto coloca em xeque como forma de atestar sua validade enquanto realização artística e cultural, a exemplo de *Dois irmãos* (2000), de Milton Hatoum, e de duas obras publicadas no ano de 2003: *Mongólia*, de Bernardo Carvalho, e *Budapeste*, de Chico Buarque.

O hibridismo formal desses textos, em que a trama narrativa é a mola propulsora da autorreflexão, pode alcançar, em outras realizações, um teor mais acentuadamente ensaístico, como no originalíssimo *Ó* (2008), de Nuno Ramos, artista plástico renomado, que já publicara antes *Cujo* (1993) e o surpreendente *O pão do corvo* (2001). São livros de alta carga poética, portadores de revelações inesperadas, nascidas de aproximações da literatura com a filosofia e as artes em geral, num embate cerrado com a linguagem.

Outra é a razão de textos que buscam retratar a cidade por meio do resgate de espaços físicos e lugares de enunciação que ela costuma excluir e manter em silêncio. São textos que optam por um brutalismo temático e formal, propositalmente a serviço de um projeto estético e político bem definido, como ocorre nas realizações do que se convencionou chamar "literatura marginal". Entre eles, destacam-se *Capão Pecado* (2000) e *Manual prático do ódio* (2003), de Ferréz; *Vão* (2005) e *Da Cabula* (2006), de Allan Santos da Rosa, além dos autores reunidos por Ferréz em *Literatura marginal: talentos da escrita periférica* (2005).

Fora do circuito habitual de produção e recepção textuais, apresentam-se como manifestações de linguagem, ao lado do movimento *hip-hop*, que sustentam a formação de identidades grupais que, mediante seu poder de articulação e contestação, lutam pela participação da periferia na esfera pública da cidade. Levantam indagações relacionadas ao questionamento da *natureza* do texto, de seu processo de *legitimação* pela crítica letrada e do *valor cultural* de que são portadores como algo anômalo dentro da literatura.

Por outro lado, a cidade é tema de um livro excepcional como *Eles eram muitos cavalos* (2001), de Luiz Ruffato. Microrrelatos, anúncios publicitários, horóscopos, orações religiosas, listagens variadas, diálogos teatrais, flagrantes escatológicos e enumerações caóticas são ruínas discursivas de que o escritor se vale para traçar instantâneos de vidas que surgem e logo desaparecem nos desvãos da cidade e nas páginas do livro — "são paulo relâmpagos/ (são paulo é o lá fora? é o aqui dentro?)".

O gesto de embaralhar e sobrepor planos espaciais — o dentro e o fora do texto — cria zonas de contágio e atrito que se revelam por cortes e interrupções narrativas, como se por elas entrasse a vida. Esse mecanismo ficcional ("como se...") distancia *Eles eram muitos cavalos* da reprodução "realista", tornando o leitor-ativo, essa variante literária do indivíduo e do cidadão, um parceiro indispensável no corpo a corpo com o mundo e a linguagem.

Essa predisposição ética para a fala *subalterna* diz muito da tarefa a que se entrega o narrador da ficção brasileira recente. Exige deslocar-se de seu lugar de enunciação, marcado por posições de classe, etnia e gênero, sem paradoxalmente deixar de afirmá-lo, para que se possa estabelecer uma relação interlocutória em que a atenção crítica e a capacidade reflexiva sejam predominantes. Pois é esse processo de *suspensão de valores* que especifica a ficção como possibilidade de emergência de um saber novo.

Para tanto, a questão do contemporâneo se impõe. Tratar do contemporâneo requer que se considere como ponto de partida uma concepção de tempo submetida a certos deslocamentos que resultam numa sorte de aderência ao presente por meio da dissociação e do anacronismo, como quer Giorgio Agamben em *Che cos'è il contemporâneo?* (2006). Dissociação e anacronismo entendidos como tomada de distância da cultura histórica em que estamos imersos para ter acesso ao que nela é mais singular e nos escapa. Tarefa paradoxal que se traduz pela fratura entre o tempo coletivo e o tempo da vida do indivíduo, que "percebe o escuro do seu tempo como algo que lhe concerne e não cessa de interpelá-lo".

Essa interpelação "intempestiva", para usar um termo nietzschiano caro a Agamben, pode assumir na ficção a forma de uma pergunta sobre a razão mesma da escrita na atualidade, sem os contornos metafísicos ou os arroubos experimentais que determinaram a especificidade de grande parte da produção literária na alta modernidade. A pergunta desdobra-se, então, numa série de citações da história por meio de interpolações, divisões e relações temporais as mais diversas, inscritas num registro especial em que a trama ficcional se enreda com o ensaio autorreflexivo como derradeiro recurso *literário*.

El Tercer Reich, do chileno Roberto Bolaño, escrito em 1989 e publicado pela primeira vez nesse ano de 2010, pode servir de exemplo. Não se trata de romance histórico, nos moldes dos que foram escritos em décadas recentes, mas do relato de fatos ocorridos nas férias do alemão Udo Berger na Costa Brava espanhola, registrados por ele em um diário que traz a anotação de dia e mês. Além do contato entre turistas estrangeiros e personagens locais, o que interessa é o jogo sobre a Segunda Guerra Mundial que Berger arma numa grande mesa em seu quarto no hotel — elegendo a guerra como uma forma meio alegórica do trabalho da escrita e da leitura.

O registro dos fatos do dia a dia é entrecortado pelas estratégias e movimentos minuciosos dos jogadores, fazendo com que jogo e vida dos personagens se sobreponham. A mera possibilidade de passar sem sobressaltos de um registro temporal a outro, com a qual a narrativa ironicamente acena, delineia uma zona obscura do presente — como se mostrasse o "não vivido em todo vivido", o que vem a ser para Agamben a marca do contemporâneo.

Em Bolaño, um acontecimento histórico traumático — o Terceiro Reich — separa e une o presente e o passado, o livro e o mundo. Instaura, assim, um espaço de integração cujas junções são deixadas à mostra para melhor prestar conta da constituição do texto que rompe, de propósito, com a cronologia e a retórica do lugar. Esse gesto de ruptura parece ser determinante para se compreender a forma peculiar com que o contemporâneo emerge em textos de um número expressivo de escritores, a exemplo de Nuno Ramos, Bernardo Carvalho ou Rodrigo Lacerda, no Brasil; Sergio Chejfek ou Martín Kohan, na Argentina; Mario Levrero ou Henry Trujillo, no Uruguai; Alberto Fuguet, Roberto Bolaño ou Hernán Rivera Letelier, no Chile.

Não se trata de elaborar um rol de autores da atualidade, que possam ser reunidos numa perspectiva panorâmica de acordo com traços de semelhança que os aproximam, o que já vem sendo feito por alguns críticos, principalmente em relação à literatura brasileira. O que aqui se propõe é pensar em conjunto os textos desses e outros autores, apesar da diferença que os distingue, com o intuito de elaborar um *objeto teórico* que possa abrir espaço para o modo pelo qual as culturas se reconhecem por meio de imagens de alteridade, já atravessadas pelos efeitos de globalização.

Esses textos instauram formas singulares de interlocução — intersemiótica e intercultural — que têm como efeito imediato a multiplicação dos lugares de enunciação antes subjugados pelo próprio discurso determinante do que seria o sistema literário latino-americano.

Ao revelarem o compromisso da autoimagem latino-americana com a imagem metropolitana, esses lugares alternativos denunciam a antiga monologia discursiva e as estratégias responsáveis por sua relativa estabilidade. Ao fazerem isso, ampliam os limites anteriores do saber disciplinar voltado para sua manutenção, deixando aberta a via para a emergência de uma outra imagem.

A *ficção do contemporâneo* parece assinalar uma forma de trabalho suplementar com essa outra imagem, que pode ser considerada uma espécie de "operador temporal de sobrevivências", para usar as palavras de Georges Didi-Huberman em *Survivance de lucioles* (2009). Projetado no presente, o contemporâneo torna-se história da brecha entre o passado e o futuro, como uma força discursiva oblíqua e, por isso mesmo, apta a traduzir uma forma de pensar — por imagens e pela via da ficção — o devir histórico e as relações intersubjetivas a ele inerentes, mesmo se no presente o sujeito se veja submetido a um processo constante de dessubjetivação.

Aberta à correspondência entre as formas sensíveis da matéria e a escrita do mundo, a imagem cumpre a função de espaçamento do tempo, por meio da marcação de intervalos, pausas ou suspensões que interrompem a linearidade cronológica e a identidade do sujeito consigo mesmo, inserindo-o num registro temporal diferenciado. A abertura ao que é outro e não próprio desfaz a existência de uma interioridade ou anterioridade absoluta, marcada pela oposição entre dentro e fora, singular e anônimo

A leitura inicial de textos de Mario Bellatin oferece possibilidades de se ampliar o leque dessas indagações. Em *Disecado* (2011), o autor afirma: "*las obras y los autores se encuentran situados cada uno en espacios diferentes: alternos y contemporáneos, pero desfasados de una unión tal como podrían percibir los demás*". A citação refere-se ao Congreso de Dobles de la Escritura Mexicana, que teve lugar em Paris, de 29 de setembro a 1º de novembro de 2003, projeto de Mario Bellatin. Nele, quatro escritores, Margo Glantz, Salvador Elizondo, Sergio Pitol e José Agustín, comparecem por meio de duplos que leem para o público — decepcionado com a ausência física dos autores — trechos da obra de cada um, escolhidos de um menu previamente estabelecido e ensaiado. A performance, retratada em livro bilíngue (espanhol/francês) por ocasião do evento, reaparece em *Disecado*, livro-síntese, álbum de citações e *memorabilia* do trabalho do escritor.

No livro, o autor/narrador dialoga consigo e com seus desdobramentos: ¿*Mi yo?*, que depois se transforma numa letra árabe e depois em Mario Bellatin. O diálogo espectral, ausente o corpo físico do outro/mesmo interlocutor, conjuga uma série de duplos e dimensões alternativas ou "realidades paralelas" onde cada um se projeta. A abstração do lugar — ou sua redução a espaços de clausura: manicômio, hospital, quarto fechado — concorre para o apagamento do referente: o texto se abisma em espelho e o sujeito-escritor desvanece, torna-se o fantasma de si mesmo pela reaparição obsessiva da "função" — chamemos dessa forma — Mario Bellatin. A busca do vazio parece ter sido atingida: "*Se encontró inmerso de manera repentina en una suerte de vacío, donde nada que proviniera del exterior era capaz de producirle el menor efecto*". O *efeito de vazio* requer a dissecação de textos anteriores até sua mutação numa forma híbrida à maneira de uma instalação, como no caso da montagem teatral de *Perros héroes* (2003). Nesse livro, um homem inválido tem sob sua guarda trinta pastores belgas *malinois*, prontos a atacar até a morte a um pequeno sinal de seu dono. Na montagem, os animais são "*reemplazados, cada determinado tiempo por ejemplares disecados, por perros de madera, o se dejaba, sin más, durante largos periodos, el espacio vacío*". Essas intersecções se multiplicam em *Disecado*: o interlocutor Mario Bellatin encontra-se morto, contaminado pela doença de um de seus personagens, o narrador-travesti que transforma em "Moridero" seu salão de beleza, para acolher doentes terminais de uma doença infeciosa mortal. A ficção invade a ficção.

Essa forma de composição envolve diferentes tipos de interação de um texto-fragmento com os demais, em remissão constante, como se todos os livros fossem escritos ao mesmo tempo. Daí a sensação desconfortante de *déjà vu* e novidade diante da vertigem da repetição de certas obsessões que o escritor faz questão de apresentar sob ângulos diversos e com intensidades variadas: a mutilação do avô, a prótese do braço, a exposição pública dos testículos do adolescente pela mãe, a asma, a onipresença dos cães. Seus textos instituem uma lógica serial em que unicidade e reprodutibilidade criam um universo meio alucinado, que elide as fronteiras entre sujeito e objeto e se abre ao inacabado de uma estrutura sempre prestes a desmontar, análoga ao edifício em ruínas de *El gran vidrio* (2007).

Como na festa que dá título ao volume,[1] a celebração da escritura que perpassa os textos de Bellatin retoma uma perda que está na origem de escrever "*sólo por el gusto de ver aparecer una palabra detrás de la otra*". Uma imagem perdida da infância persiste: a ausência do primeiro livro, *El libro fantasma*, sequestrado pela avó e que "*¿Mi Yo? lleva siempre consigo —lo transporta mentalmente—, cuya falta de cuerpo quizá fue la que lo llevó a escribir un texto detrás de outro utilizando siempre el imaginário de una criatura de diez años de edad*".

O corpo mutilado do texto — sua forma mutante — deve muito a essa desconexão temporal entre o pensamento e a palavra, que se traduz em imagens vizinhas a uma "*otra realidad*" ou numa escritura que se propõe escrever "*sin utilizar los métodos clásicos de escritura, como por ejemplo, las palabras*. Escrever sem escrever é, então, operar no limite de toda significação. Leiamos a abertura de *Disecado*.

> [...] *durante ciertas noches de otoño, sobre todo aquellas en las que el asma o, más bien, los efectos secundarios producidos por los medicamentos para atenuarla, me dejan en un estado que no podría calificar como de dormido o despierto, pasan por mi cabeza una serie de escenas y pensamientos que la mayoría de las veces llegan a límites difíciles de describir.*

A apropriação da cena inaugural da *Recherche*, descarnada de afeto e esvaziada do desejo da mãe pelo filho presente no texto de Proust, instaura um regime de leitura avesso ao horizonte de expectativa da memória como narrativa de identificação do sujeito. Desfaz, assim, qualquer possibilidade de expressão autobiográfica ou até mesmo autoficcional determinante da leitura, embora sejam facilmente reconhecíveis aspectos da vida do sujeito na escritura.[2] O texto parece propor outra via de aproximação em que a memória é, segundo Giorgio Agam-

---

[1] *El gran vidrio*, informa-nos a quarta-capa do livro, "é uma festa que se realiza anualmente nas ruínas dos edifícios destruídos da cidade do México, onde vivem centenas de famílias organizadas em brigadas que impedem sua expulsão".

[2] Em *La escuela del dolor humano de Sechuán* lê-se: "*Vivimos en un pequeño y húmedo departamento que acrecienta un asma que sólo es calmada con una serie de medicamentos que, si bien relajan los bronquios, me llevan a un embrutecimiento el que no tengo la certeza de encontrarme dormido o despierto*".

ben, "o órgão de modelização do real, que pode transformar o real em possível e o possível em real".

Repetir um texto em *Disecado* — a exemplo de *Perros héroes* ou *Salón de belleza* — é torná-lo de novo possível numa nova ordem discursiva que reforça os traços da anterior pela sua duplicação. O duplo é aqui um operador da dissecação — decompor os elementos da estrutura do corpo morto do texto para torná-lo outro. O efeito de estranhamento resultante da operação concorre para, mais do que elucidar, acentuar *"una verdad terrible* [...] *por detrás de las palabras"*, a que ao leitor resta apenas pressentir — como os cães surpreendidos pelo narrador *"en medio de la noche mirando abstraídos y atentos hacia un punto indeterminado"* ou *"captando un más allá al que ninguno de nosotros puede acceder"*.

A busca dessa forma de percepção inacessível ao humano eleva a um grau máximo de potência o trabalho de *montagem* textual, que se realiza por meio de cortes e recortes no contínuo do relato, de migrações e sobrevivência das "figuras" em que os eventos narrados se transformam. A montagem assinala, de modo perturbador, zonas de contato apenas pressentidas entre humano e inumano, real e ficção, corpo e linguagem, próximas às *"revelaciones de orden místico"* — em que o sentido é suspenso por um instante quase imperceptível —, mas esvaziadas de qualquer transcendência que não seja a página tornada em branco do texto[3] — *"una hoja flotando en el vacío"*.

O texto parece, assim, mimetizar a topologia das redes atuais de comunicação, geração, tradução e distribuição de imagens, que são constantemente transformadas, reescritas, reeditadas e reprogramadas. O original de *Salón de belleza*, por exemplo, é contaminado pela sua reprodução em *Disecado*, onde adquire outra perspectiva significante em seu estatuto de cópia: torna-se um novo original num novo contexto; *El baño de Frida Khalo* reaparece por meio do deslocamento de Bellatin na figura da pintora. Cada cópia é por si mesma um *flanêur*, experimentando o tempo do aqui e agora na sua repetição iterativa em que o texto perde e recupera sua aura. Propriedade privada simbólica do escritor, o livro se transforma numa plataforma de discussão pública para uma comunidade de leitores. O retorno do que não cessa de se repetir — uma das marcas do contem-

---

[3] A página em branco é "tematizada" em *La escuela del dolor humano de Sechuán* (2005), desde a epígrafe que se refere a Melville.

porâneo para Giorgio Agamben — nunca funda uma origem, pois é um retorno que é adiamento, retenção, e não nostalgia, no dizer de Suzana Scramin. Como compreensão da natureza espectral do sujeito, leva ao extremo o mascaramento que sempre acompanhou toda identidade pessoal, e resolve-se numa "singularidade qualquer".

Pode se ler, nessa direção, o fato de a assinatura Mario Bellatin ser sempre esvaziada, ao mesmo tempo que reafirma, em sua reaparição frequente no espaço textual, não uma persona ou um *alter-ego* do autor, mas o traço do processo de articulação entre deslocamento e relocação, desterritorialização e reterritorialização, desauratização e auratização. Nesse sentido pode ser lido o projeto "Los cien mil libros de Bellatin", que consiste na publicação de 100 títulos do escritor, numa tiragem de 1.000 exemplares de cada título, com tratamento gráfico especial, tendo na contracapa de cada livro a impressão digital do escritor. O primeiro texto editado — *Shiki Nagaoka: una nariz de ficción* — é a biografia de um escritor inexistente: o projeto afirma sua autoria pela negação.

O uso de imagens visuais em *Jacobo el mutante* (2006), *El baño de Frida Kahlo/Demerol, sin fecha de caducidad* (2008) e *Biografía ilustrada de Mishima* (2009) reconfigura a logística da duplicação em Bellatin. À maneira da cópia digital, inaugura um novo ordenamento topológico do espaço, no qual se mover não tem mais o sentido de abandonar um lugar. Transporte e duplicação superpõem-se: dados são transportados sem que se distanciem de seu lugar original; dois "originais" e dois "lugares" podem multiplicar-se em escala imprevista.

A progressão sem centro também provoca mudanças na concepção do tempo, uma vez que sua expansão não apresenta nunca um produto acabado, mas apenas uma versão. A reprodução se instala no interior do código, no interior mesmo da escritura, para redefini-la segundo uma lógica da repetição e desdobrar, assim, o potencial utópico da cópia idêntica. Há um lugar "u-tópico", sem localização, que escapa às regras estabelecidas.

Essa situação instável torna-se uma instância política em que o político é um ato que reordena o espaço ao tornar visível uma distribuição específica, uma ordem enquanto tal, retirando-lhe toda "naturalidade". Nesse ambiente textual-digital, a forma do sujeito não preexiste ao meio, é programada dentro dele. Trata-se, ao contrário da duplicação especular do retrato tradicional, de condensar o rastro do sujeito, sua aparição a partir de dados que permitem calcular seus movimentos no espaço do "como se" da ficção.

A técnica da sujeição ou a tecnologia da subjetivação colhe e recolhe dados por meio dos quais calcula de antemão a margem de flutuação do rastro que o inscreve na rede textual que dá unidade à obra, mesmo fragmentando-a. A transformação em sujeito ficcional implica uma forma de subjetivação e com ela a sujeição a um determinado formato visível, de certo modo controlável: o rastro como signo presente de uma coisa ausente — a perna mutilada da companheira de fisioterapia do narrador em *Los fantasmas del masajista* (2009), a de Frida Kahlo em *Demerol, sin fecha de caducidad* (2008), ou a do escritor-personagem de *Flores* (2001).

A ordenação desses rastros supõe uma lógica temporal própria, na qual cesuras e fraturas no contínuo do relato instauram uma duração que os torna contemporâneos. Os fatos narrados podem assim transitar de um texto a outro como se fossem reproduções infinitas de uma mesma matriz, que usa o tempo à maneira dos antigos sumérios. Diz o prólogo de *Flores*: para "*la construcción de complicadas estructuras narrativas basándose sólo en la suma de determinados objetos que juntos conforman un todo*". Não mais um passado perdido — a que as referências constantes à infância poderiam remeter —, mas um aqui e agora tão pontual que implode todas as dimensões temporais no instante congelado e paradoxalmente transitório da instalação e da performance textuais.

Talvez por tudo isso a obra de Mario Bellatin seja tão perturbadora — não há antes e depois, fora e dentro. Temporalidades diversas convergem para um *mais além* do leitor, que se situa, em *La escuela del dolor humano de Sechuán* (2005), como "*una persona que [mira] desde fuera hacia fuera*", num espaço liminar que impulsiona a leitura a abrir-se ao mundo, revelando possibilidades até então ignoradas de lhe dar forma. Desde Duchamp, a arte especifica-se por insistir em formular a questão de se é possível ou desejável dar uma forma ao mundo numa espécie de encontro sem encontro, ou seja, "um encontro de quem é chamado artista e algo que ele escolhe, num instante preciso, interpretando-o como uma forma [...] para a qual não se dispõe de nenhuma forma preventiva", conforme Jean Luc-Nancy. Destituído de qualquer esquematismo mental ou de uma mensagem precedente (que autorizaria, entre outras, uma leitura alegórica), o leitor defronta-se com um *gesto escritural*, entendido, ainda segundo Nancy, "o acompanhamento de uma intenção a respeito da qual resta, no entanto, estranha. Em *Los fantasmas del masajista* (2009), diz-se:

> *Me tocó, en el espacio contiguo al mío, el caso de una mujer a la que apenas unos días atrás le habían cercenado una pierna. Sin embargo, a pesar de la intervención, se quejaba de un dolor profundo en el miembro inexistente. Parecía incapaz de soportar el sufrimiento que se producía en un espacio que era ahora ajeno a su cuerpo, en el lugar vacío que había dejado la pierna mutilada.*

Nesse gesto escritural parece assentar uma modalidade textual em que a identidade do escritor Mario Bellatin transforma-se na imagem do escritor contemporâneo e lhe dá a materialidade paradoxal de uma palavra vazia. Dessa forma, a obra de Bellatin, entendida como obra-instalação, dá à comunidade de leitores/visitantes a possibilidade de constituir seu papel e definir as regras a que sua comunidade deve se submeter. Nessa comunidade *contemporânea*, em que, vale insistir, imagens e cópias circulam de um meio a outro, como as multidões de participantes de uma instalação, nos inserimos como novos *flanêurs* diante da aura do aqui e agora.

Referências

AGAMBEN, Giorgio. *Che cos'è il contemporaneo*. Roma: Nottetempo, 2006.
BELLATIN, Mario. *Damas chinas*. Barcelona: Anagrama, 2006.
____. *Disecado*. México: Sexto Piso, 2011.
____. *Flores*. Barcelona: Anagrama, 2004.
____. *Los fantasmas del masajista*. Buenos Aires: Eterna Cadencia, 2009.
____. *Obra reunida*. Madri: Alfaguara, 2013.
____. *Salón de belleza*. 3. ed. México: Tusquets, 2011.
BOLAÑO, Roberto. *El tercer Reich*. Barcelona: Anagrama, 2010.
DIDI-HUBERMAN, Georges. *Sobrevivência dos vaga-lumes*. Tradução de Vera Casa Nova e Márcia Arbex. Belo Horizonte: Ed. UFMG, 2011.
NANCY, Jean-Luc. *Corpus*. Lisboa: Passagens, 2000.
RUFFATO, Luiz. *Eles eram muitos cavalos*. 11. ed. rev. def. São Paulo: Companhia das Letras, 2011.

CAPÍTULO 4

De como o povo entra na história:
uma leitura de *A integração do negro na sociedade de classes* em seu cinquentenário

Mário Augusto Medeiros da Silva

Introdução

> Em sentido literal, a análise desenvolvida é um estudo de como o Povo emerge na história. Trata-se de um assunto inexplorado ou mal explorado pelos cientistas sociais brasileiros. E nos aventuramos a ele, através do negro e do mulato, porque foi esse contingente da população nacional que teve o pior ponto de partida para a integração ao regime social que se formou ao longo da desagregação da ordem social escravocrata e senhorial do desenvolvimento posterior do capitalismo do Brasil. (Fernandes, 1978a:9)

A PROPÓSITO dos 50 anos de defesa de *A integração do negro na sociedade de classes*, de Florestan Fernandes, soa oportuno refletir sobre aspectos da construção daquela obra seminal na sociologia brasileira, tendo como mote o tema da mesa: "Métodos e fazeres: história e prática", do 4º Ateliê do Pensamento Social — ESC/FGV: Práticas e textualidades: pensando a pesquisa e a publicação em ciências sociais, 11 set. 2014.

Como ponto de partida e de condução, utilizar-se-á a proposição do autor, epigrafada, de que seu trabalho seria uma forma de "estudo de como o Povo emerge na história" (Fernandes, 1978a:9). Intenta-se discutir o sentido em que a ideia de *povo* é associada, como procedimento explicativo, ao grupo social que teve o pior ponto de partida coletivo na nova ordem inaugurada com a Abolição, procurando observar as consequências dessa opção.

Do elo mais enfraquecido da corrente, pode-se analisar a estrutura social; da periferia do sistema afere-se melhor o centro.[1] Esse procedimento analítico na observância da constituição de uma ordem social competitiva permitiria explicitar, na visão do autor, não apenas aspectos distintivos da formação da sociedade brasileira, mas também seus limites objetivos de realização. Eles estão dados, simultaneamente, na estrutura das relações sociais (marcadas pelo preconceito, discriminação e desigualdade) assim como na experiência quotidiana relatada pelos informantes da pesquisa, que conformam o passado — por meio de memórias familiares — e o presente — entre os anos 1920 e 1950, vivido diariamente na capital paulista, síntese das contradições de um regime de classes e de seu vertiginoso desenvolvimento, a que tentam, de variadas maneiras, se contrapor, em associativismo reivindicativo.

Tentativas de explicar os impasses de nossa realização social, através de seus elementos considerados enfraquecidos, já haviam sido efetuadas anteriormente no percurso intelectual do autor. Seja pela reconstrução de aspectos de uma história indígena e sua realidade social — da destruição dos tupinambás a Tiago Aipobureu, o bororo *marginal* — ao trabalho feito sob encomenda para a Unesco, com Roger Bastide (e as pesquisas auxiliares de Virgínia Leone Bicudo, Oracy Nogueira e Aniela Ginsberg), que culminaria no relatório inicial de *Brancos e negros em São Paulo*.

Como hipótese desta comunicação, aventa-se que em *A integração* aquelas formulações obtenham um acabamento mais alentado. Embora assertiva em seu título, a obra, em suas mais de 800 páginas, pode ser lida como uma longa discussão dos impasses ao processo integrativo, *de fato*, do negro ao novo regime. E também dos percalços da ordem social competitiva em realizar-se, haja vista que um de seus princípios necessários operaria debilmente — igualdade entre cidadãos livres, com condições idênticas para competir. As condições sociais a que foram relegados e contra as quais se batiam os descendentes dos libertos desmentiam-na sistematicamente.

---

[1] Elide Rugai Bastos sugere a existência de uma unidade metodológica em Fernandes e seus discípulos, que opera a ideia de atraso e periferia como forma explicativa da história social brasileira. Ver: Bastos (2002:183).

Progressivamente, o autor se aproxima de uma conclusão que se mostra como o desafio mais impactante da obra, em face do contexto de sua produção: os limites de nossa realização social moderna e burguesa, própria ao regime de classes e republicano, passam também por uma crise da nossa capacidade de realização democrática. Não se pode esquecer que o livro foi escrito como condição de assumir a Cátedra de Sociologia I, pelo autor, sendo defendido em 10 de abril, um dia depois do Ato Institucional nº 1, que legitimou o golpe de estado civil-militar de 1964. Também importante ressaltar que, ao menos desde o final dos anos 1950, Fernandes vinha discutindo, teórica e publicamente, questões relativas à mudança social e envolvendo-se em debates acerca dos limites e crises democráticos, em frentes várias (Fernandes, 1976, 2008; Sereza, 2005).

A forma da emergência do Povo na história social brasileira torna-se, assim, reveladora também dos constrangimentos que lhe são impostos, do passado a um presente carregado de paradoxos e questões irresolutas nos anos 1950, tolhendo a autonomia de um *querer coletivo* — por consequência, tem-se uma sociedade controlada e hierarquizante, onde a democracia vinha sendo qualificada, desde os anos 1930, como um "lamentável mal-entendido" (Holanda, 1984) e a subalternização uma constante. Talvez a reconstrução desses argumentos ilumine algo para questões contemporâneas.

Construção da obra

Os dados em *A integração* foram aproveitados, majoritariamente, do período da pesquisa Unesco (Maio, 1997), publicada quase uma década antes. Isso, no entanto, não impede um aprofundamento e reorganização de problemas apresentados em *Brancos e negros em São Paulo*. Ao contrário, os fundamentos da realização de uma ordem social competitiva — regime societário explicativo da sociedade de classes — são questionados exaustivamente pelo autor. São Paulo operará, novamente, como o local privilegiado das possibilidades de realização da nova ordem e, por consequência, em quais pilares se alicerçavam os impeditivos de autonomização do *Povo* na história social.

Nos últimos anos, ganha cada vez mais relevância a discussão sobre o papel desempenhado pelos informantes negros da pesquisa, cujos nomes são mencionados nos agradecimentos. Arlindo Veiga dos Santos, José Correia Leite, Raul Joviano do Amaral, Edgar Santanna, Henrique Cunha, Geraldo Campos de Oliveira, Jorge do Prado Teixeira são sujeitos pesquisados e ativos colaboradores (Leite e Cuti, 1992; Cardoso, 2008; Silva, 2013; Campos, 2014). Isso permite afirmar que uma chave explicativa da obra é essa construção de um horizonte de interesses partilhados, comum aos sociólogos e intelectuais negros, em debater um estado de coisas complicado nos anos 1950.

Destarte, um dos pontos polêmicos do livro, a denúncia da *democracia racial como mito*, é também consequência do pensamento no interior de associações de ativistas negros, envoltos em lutas sociais desde a década de 1920, ouvidos na pesquisa Unesco e fornecedores, para Fernandes e assistentes, de histórias de vida, ensaios sociais manuscritos, narrativas taquigrafadas e debates acalorados na antiga Faculdade de Filosofia ou na Biblioteca Municipal. Aqueles sujeitos eram *índices* vivos do *Povo* organizado, confrontando diariamente a História. Participantes de jornais da imprensa negra paulista (Bastide, 1973; Ferrara, 1986), como *Clarim d'Alvorada*, *Voz da Raça*; de associações como Frente Negra Brasileira (1931-1937), Clube Negro de Cultura Social (1928-1932), Associação José do Patrocínio (década de 1940), Irmandade Nossa Senhora do Rosário dos Homens Pretos (1711-), Associação dos Negros Brasileiros (1948) e Associação Cultural do Negro (1954). O foco do livro são questões contemporâneas da primeira metade do século XX.

O legado da raça branca: impeditivos para a cidadania

Em diferentes níveis, portanto, era possível empreender a análise sociológica da história social do desenvolvimento do regime de classes, tomando a capital paulista como local de sua realização acelerada e de seus efeitos mais visíveis. As condições sociais de existência do liberto, explicitadas pela experiência posterior e narradas por seus descendentes, dão suporte à argumentação de que:

A desagregação do regime escravocrata senhorial operou-se, no Brasil, sem que cercasse a destituição dos antigos agentes de trabalho escravo de assistência e garantias que os protegessem na transição para o sistema de trabalho livre. Os senhores foram eximidos da responsabilidade pela manutenção e segurança dos libertos, sem que o Estado, a Igreja ou qualquer outra instituição assumissem encargos especiais, que tivessem por objetivo prepará-los para o novo regime de organização da vida e do trabalho. O liberto viu-se convertido, sumária e abruptamente, em senhor de si mesmo, tornando-se responsável por sua pessoa e por seus dependentes, embora não dispusesse de meios materiais e morais para realizar essa proeza nos quadros de uma economia competitiva. (Fernandes, 1978a:15)

Estratégias de sobrevivência e circulação, com vistas emancipatórias, na ordem escravocrata, continuamente descritas pela historiografia atual, não desautorizam o argumento estrutural de que, na condição de liberto e senhor de si, construiu-se um ponto de partida institucional e coletivamente precarizado ao *preto* (*status* do ex-escravo na estratificação escravista), que não tornaria o cenário melhor ao *negro-cidadão*, portanto, sujeito de direitos. Ao contrário, uma correlação de fatores, em São Paulo,[2] cria as condições para a marginalização do liberto, que seriam legadas ao negro:

> [...] No conjunto, portanto, as próprias condições psicossociais e econômicas, que cercam a emergência e a consolidação da ordem social competitiva na cidade de São Paulo, tornavam-na imprópria para as massas de libertos, que nela se concentravam [...] impedindo-os de tirar algum proveito relevante e duradouro, em escala grupal, das oportunidades novas [...] nessa fase de transição, viver na cidade pressupunha, para ele, condenar-se a

---

[2] O autor identifica, inicialmente, três principais: a expansão urbana atípica no padrão das sociedades brasileiras que floresceram com o progresso da civilização agrária; o incentivo e a competição da mão de obra estrangeira; e, por fim, o fato de São Paulo operar como centro urbano burguês, uma cidade inóspita em que se conformaria uma *ideologia do progresso*.

uma existência ambígua e marginal [...] a sociedade brasileira largou o negro ao seu próprio destino, deitando sobre seus ombros a responsabilidade de reeducar-se e de transformar-se para corresponder aos novos padrões e ideais de homem, criados pelo advento do trabalho livre, do regime republicano e do capitalismo. (Fernandes, 1978a:20)

Frise-se a expressão *escala grupal*: Em diferentes momentos, será enfatizada a coletividade, contrapondo-a às notáveis *exceções*, que confirmariam a regra do argumento geral. Nesse sentido, se, para a ordem social competitiva instaurada em São Paulo com a Abolição e a República, a mão de obra imigrante e proletária será identificada ao sujeito da modernidade industrial, o grupo social negro é um *sujeito antimoderno*,[3] uma escória, que é colocado num estágio de — termos seus — *demora cultural*, *déficit*, em relação ao processo histórico. A ideia de *modernidade* não se expressa tão somente num *sujeito*, mas no desenrolar do seu *processo*.[4]

Assumir o papel de *homem livre* é, portanto, deveras difícil, num cenário em que se muda a organização do trabalho não apenas por ser iníquo, mas porque se organiza um plano coletivo que permitia a "substituição do 'negro' pelo "branco"" (Fernandes, 1978a:36): um sujeito social por outro.

Como se organiza o *agir* e, por conseguinte, o *querer coletivo* de mudança do estado de coisas no meio negro? Esse é um ponto importante em *A integração*: o paulatino *protagonismo do protesto negro*, capaz de enunciar sua condição desigual, denunciá-la e combatê-la. Tem-se uma bela passagem sintética da emergência do liberto: "[...] Como se nasces-

[3] Ver: "Diante do negro e do mulato abrem-se duas escolhas irremediáveis, sem alternativas. Vedado o caminho da classificação econômica e social pela proletarização, restava-lhes aceitar a incorporação gradual à escória do operariado urbano em crescimento ou abater-se penosamente, procurando no ócio dissimulado, na vagabundagem sistemática ou na criminalidade fortuita meios para salvar as aparências e a dignidade de 'homem livre'" (Fernandes, 1978a:28).
[4] Ver: "O que há de essencial para a análise da posição do negro e do mulato na ordem econômica e social emergente, é que eles foram excluídos, como categoria social, das tendências modernas de expansão do capitalismo em São Paulo. Os dois polos desse processo socioeconômico acham-se ou em círculos sociais das camadas dominantes ou no seio dos contingentes humanos transplantados da Europa" (Fernandes, 1978a:55-56).

sem naquele momento para a vida, teriam de gravitar no lodo e nele construir o ponto de partida, de sua penosa ascensão ao 'trabalho livre'. A sociedade de classes torna-se uma miragem, que não abre de pronto nenhuma via de redenção coletiva" (Fernandes, 1978a:59).

O meio urbano é identificado como o local em que o lastro com o passado é rompido — e, portanto, condena um contingente significativo por sua inépcia em relação aos novos comportamentos e estruturas sociais. Também onde é possível, em passos trôpegos, a aprendizagem da diferenciação social e das técnicas necessárias para disputar a ordem social competitiva. Trata-se de um processo *dúbio* em si e também pela divisão interna que se realiza no meio negro. Seus informantes relatam as figuras antagônicas dos *negros da casa-grande ou pretos de salão* (protegidos de algumas famílias brancas e ex-escravocratas, portanto mais facilmente adaptados) em face dos *negros do eito ou de lavoura* (o restante). Essa dubiedade confere um argumento qualitativo interessante no texto:

> Cada família tradicional "protegeu" um número ínfimo de antigos ex-escravos ou libertos, concebidos como "crias da casa". O número deles, na cidade, também parece ter sido pequeno, particularmente em confronto com a massa de deserdados largada a seu próprio destino. Mais tarde, *esse pequeno número* irá desempenhar um papel histórico considerável como foco de inconformismo e de agitação contra a situação do negro na sociedade paulistana. Mas isso também não seria motivo para justificar uma avaliação exagerada das influências do paternalismo como fonte de adaptação do negro às condições materiais e morais de vida, imperantes na cidade no começo do século. (Fernandes, 1978a:78-79)

O protesto negro nasce das contradições estruturais legadas pela transição para a nova ordem social. A trajetória pessoal e social de alguns dos informantes da pesquisa Unesco e de Fernandes corrobora tal argumento.[5] Contudo, as dificuldades para que ganhasse expressão coletiva eram grandes: a proteção exclusiva de alguns poucos indivíduos

---
[5] Das mais contrastivas é a relação, por exemplo, de Jayme de Aguiar, cuja família era protegida da família Paula Souza, e José Correia Leite, órfão, morador de porões, ambos fundadores do jornal combativo *Clarim d'Alvorada* (Leite e Cuti, 1992).

poderia se converter em privilégios e distanciamentos de um problema mais geral. Parece ser este o autor que coloca, pela primeira vez, a tensão interna entre o que ele chama de uma "nascente elite de cor" antagonizando-se com o "negro reles [...] submergidos no submundo da ralé urbana [que] aguardavam a 'segunda Abolição'" (Fernandes, 1978a:84, colchetes meus), nos *anos de espera*[6] para a força social do protesto, encorpado entre as décadas de 1910 e 1930.

A *ralé negra da cidade* sofreria os efeitos da pauperização e da anomia social, na metrópole, simultaneamente ao seu ajustamento à nova ordem. Apresentam-se debates importantes sobre o *viver na cidade*: cortiços e porões; a vida de expedientes da figura masculina, sem trabalho fixo ou somente braçal; o moleque de recados; o desamparo aos velhos e aos infantes; o alcoolismo; a mãe solteira, lavadeira, empregada e pilar das famílias negras em estado de pauperismo (Fernandes, 1978a:142-145, 147-148). Vivendo e sendo visto como um marginal, com lastro frouxo entre mundos sociais: da condição do subalterno emergirá a consciência de sua situação:

> [...] a desilusão social do negro e do mulato passou do plano da experiência concreta para o da verbalização [...] com elementos mais intelectualizados, fomentaram alguma inquietação social, encaminhando as primeiras manifestações larvares do inconformismo que iria repontar, mais tarde, consciente e organicamente nos movimentos sociais do "meio negro". (Fernandes, 1978a:172)

Mas por que os subalternos não se insurgem?

Na terceira edição publicada de *A integração*, o livro recebeu, em sua contracapa, a chamada de "A tragédia de um povo".[7] A questão socioló-

---

[6] "Os anos do desengano, em que o sofrimento e a humilhação se transformam em fel, mas também incitam o 'negro' a vencer-se e a sobrepujar-se, pondo-se à altura de suas ilusões igualitárias. Enfim, os anos em que o 'negro' descobre, por sua conta e risco, que tudo lhe fora negado e que o homem só conquista aquilo que ele for capaz de construir, socialmente, como agente de sua própria história." (Fernandes, 1978a:97)

[7] A coleção Ensaios, da editora Ática, tem como uma de suas marcas visuais, na contracapa, este procedimento: um título de chamada e um pequeno texto expositivo

gica do *trágico* é que ela informa uma visão social de mundo que não encontra condições de realização; portanto, sem saída. Trágico estar no mundo, tal qual ele se concretiza, e não encontrar um lugar nele (Goldmann, 1959). Se há, em *A integração*, uma marcha de argumentos que leve à visão negativa do processo de formação da sociedade de classes no Brasil, isso não parece significar, necessariamente, uma negação absoluta dessa sociedade. A história, de fato, foi operacionalizada como tragédia e nela existiram sujeitos condenados. Mas, esses também foram e são agentes de seu devir — como o autor escreveu linhas atrás —, e aí, portanto, residiria um tenso horizonte de possibilidades em aberto.

Isto não lhe impediu de perguntar: "como se explica a tolerância prolongada do negro e do mulato a condições tão devastadoras, humilhantes e indesejáveis de existência social?" (Fernandes, 1978a:222). Creditar-se-ia a uma suposta *apatia* do negro, como se veiculava no senso comum? Ou a reminiscências do *antigo regime*? A hipótese demonstrada foi que, se a cidade não se modificara uniforme e simultaneamente com a ordem social competitiva, os sujeitos sociais, suas instituições e representações coletivas também não. À imagem do *negro cidadão*, durante muito tempo após a Abolição, esteve inscrita na pele, como uma armadura de ferro, a figura do *preto escravo*. E à do *branco, o senhor*, benigno.

Informado pelas denúncias dos intelectuais negros, que por meio de seus jornais e associações escancaravam o estado das coisas, Fernandes afirma que um mecanismo de amortecimento das tensões latentes e de estabilização daquelas imagens se dá através do *mito da democracia racial*. Discussão que ocupa algo em torno de *16 páginas* no livro e se tornou um debate sociológico clássico, socialmente polêmico, que ainda alcança os dias correntes em diferentes circunstâncias, seja na organização de diferentes visões de frações de movimentos negros[8] ou nas dis-

---

da obra em tela. O quanto o autor do livro em questão tem de responsabilidade sobre o texto, em debate com o editor, está fora do meu alcance. Pode-se supor, no entanto, que haja concordância entre ambos. Utilizo a chamada tão somente como recurso reflexivo.

[8] Um índice disso é o fato de, entre os 20 livros mais citados por diferentes intelectuais negros, dentre os quais protagonistas da reemergência do movimento negro brasileiro, a partir de 1978, está *A integração do negro na sociedade de classes*. Ver Cuti e Fernandes (2002:35-36).

putas contemporâneas acerca da necessidade de ações afirmativas para o ensino superior, entre outras. Trata-se, portanto, de questão irresoluta.

Originalmente, Fernandes argumenta que o mito da democracia racial é próprio da sociedade republicana, pois não faria sentido no antigo regime.[9] Onde a igualdade jurídica perante a lei se processa como um princípio, se fortalece, por outro lado, a hegemonia de um grupo sobre o outro, do branco sobre o negro. Nesse sentido, como *correção* à inaplicabilidade da norma formal, o mito operaria ao menos cinco representações coletivas de abrandamento do conflito[10] e teria três funções a se esclarecer analiticamente, a saber:

> Primeiro, generalizou um estado de espírito farisaico, que permitia atribuir à incapacidade ou à irresponsabilidade do "negro" os dramas humanos da "população de cor" da cidade [...]. Segundo, isentou o "branco" de qualquer obrigação, responsabilidade ou solidariedade morais de alcance social e de natureza coletiva [...]. Terceiro, revitalizou a técnica de focalizar e avaliar as relações entre "negros" e "brancos" através de exterioridades e aparências dos ajustamentos raciais, forjando uma *consciência falsa* da realidade racial brasileira [...]. (Fernandes, 1978a:255)

---

[9] "[...] A ideia de que o padrão brasileiro de relações entre 'brancos' e 'negros' se conformava aos fundamentos ético-jurídicos do regime republicano vigente. Engendrou-se, assim, um dos grandes mitos de nossos tempos: o mito da 'democracia racial brasileira'. Admita-se, de passagem, que esse mito não nasceu de um momento para o outro. Ele germinou longamente, aparecendo em todas as avaliações que pintavam o jugo escravo como contendo 'muito pouco fel' e sendo suave, doce e cristãmente humano. Todavia, tal mito não possuiria sentido na sociedade escravocrata e senhorial. A própria legitimação da ordem social, que aquela sociedade pressupunha, repelia a ideia de uma 'democracia racial'. Que igualdade poderia haver entre o 'senhor', o 'escravo' e o 'liberto'? [...]" Ver Fernandes (1978a:253-254).

[10] "[...] 1º) a ideia de que 'o negro não tem problemas no Brasil'; 2º) a ideia de que, pela própria índole do *Povo brasileiro*, 'não existem distinções raciais entre nós'; 3º) a ideia de que as oportunidades de acumulação de riqueza, de prestígio social e de poder foram indistinta e igualmente acessíveis a todos, durante a expansão urbana e industrial da cidade de São Paulo; 4º) a ideia de que 'o preto está satisfeito' com sua condição social e estilo de vida em São Paulo; 5º) a ideia de que não existe, nunca existiu, nem existirá outro problema de justiça social com referência ao 'negro', excetuando-se o que foi resolvido pela revogação do estatuto servil e pela universalização da cidadania [...]." (Fernandes, 1978a:256)

Uma quarta função seria a manutenção do *status quo*. Antes que se lembre o *oposto sociológico* mais conhecido de Fernandes,[11] é necessário esclarecer que o mito opera como mecanismo de amortecimento *precedendo* sua formulação numa obra. Plasma uma visão social de mundo difundida seja entre o grupo dominante como entre o grupo dominado. Sem ter isso em vista, torna-se incompreensível parte do insucesso dos ativistas e intelectuais negros em suas contínuas tentativas de organização do grupo social que procuram representar.

Dos pontos mais edulcorados (memórias de amas negras ou empregadas domésticas longevas, sem legislação de trabalho) aos mais cruéis (como o da crítica à *negrada*, por Paulo Duarte, em 1947; a *mera coincidência* entre índices de morte violenta e juventude negra),[12] o mito organiza e hierarquiza a relação entre os grupos sociais, criando lugares estanques, com aparência de mobilidade: do *quase da família* ao *negro de alma branca*; do *todos com pé na cozinha* ao *discurso da mistura plural e da diversidade cultural*. Em suma, ele, desde sempre, *mascara o problema da desigualdade do poder*, consequentemente, da construção problemática da democracia colocando-lhe um limite objetivo em sua — nossa — desfaçatez.

> [...] Uma democracia não pode funcionar sem um mínimo de equilíbrio e de autonomia nas relações das categorias sociais associadas pela ordem societária imperante. [...] Os resultados desta breve análise retrospectiva demonstram que as condições de perpetuação parcial das antigas formas de dominação patrimonialista estão na própria raiz do desequilíbrio que se criou (e se acentuou progressivamente em seguida), entre a ordem racial e a ordem social da sociedade de classes. A democracia surgiu tímida e debilitada em nosso meio. [...] ideológica e utopicamente

---

[11] "[...] Gilberto Freire [sic], forma com Florestan o mais perfeito par de opostos que se possa imaginar. Não pela temática, que é em muitos pontos a mesma em ambos. Nem pela formação e pelas linhas de pesquisa [...] Mas pelo contraste entre a perspectiva senhorial, a expressão estética [...] e a escrita descontraída de Freire [sic], por um lado e, por outro, a perspectiva plebeia, a expressão ética (em que a experiência pessoal passa pela angústia da participação) e a escrita crispada de Florestan. [...]." (Cohn, 2002:387).
[12] Ver Waiselsfiz (2012).

ela forneceu, no início, um palco histórico exclusivo aos poucos grupos sociais que estavam organizados, possuíam técnicas apropriadas para exercer dominação e autoridade, e lutavam sem vacilações pelo monopólio do poder (se preciso, sob o manto dos "ideais democráticos"). O atraso da ordem racial ficou, assim, como um resíduo do antigo regime e só poderá ser eliminado, no futuro, pelos efeitos indiretos da normalização progressiva do estilo democrático de vida e da ordem social correspondente. Enquanto isso não se der, não haverá sincronização possível entre a ordem racial e a ordem social existentes. Os 'brancos' constituirão a 'raça dominante' e os 'negros' a 'raça submetida'. [...] o referido mito converteu-se numa formidável barreira ao progresso e à autonomia do 'homem de cor' — ou seja, ao advento da democracia racial no Brasil. (Fernandes, 1978a:268-269, grifos meus)

Este é um salto analítico formidável que Fernandes realiza, inclusive em relação aos seus próprios informantes, uma vez que a crítica à democracia racial entre eles opera no nível imediato das relações sociais racializadas, na interação face a face ou no confronto com as instituições sociais (escolas, repartições públicas, clubes etc.) — quer dizer, no confronto quotidiano com o preconceito e discriminações racial e não com a ordem social competitiva (Bicudo, 2010).[13] Operam como *campeões da revolução dentro da ordem* (Fernandes, 1978b:11), portanto, heroicamente se propõem a ser *reformadores da nova ordem social*. A radicalidade da crítica à resistência sociopática à mudança social com democracia, da parte das classes dominantes, é o sociólogo quem realiza. Embora experimentem seus efeitos, sem deslindar os mecanismos que o prendem, como o subalterno poderia se insurgir?

---

[13] "[...] Em virtude da própria situação história do negro e do mulato, a rebelião que se ensaiava não possuía o caráter de uma revolução contra a ordem social estabelecida. Tratava-se de uma insubordinação surda e insufocável contra as debilidades mais profundas do sistema de relações raciais [...]. Explica-se, assim, por que os 'negros' não se colocaram contra ela. Ao contrário, admitiram abertamente que ela satisfazia a seus anseios de segurança, de dignidade e de igualdade sociais, advogando apenas que ela valesse para eles." (Fernandes, 1978b:8)

No limiar de uma nova era: assertividade e aposta

"Brancos", "negros", "pretos", "mulatos", "raça branca", "raça", "meio negro", entre outras expressões, aparecem sempre entre aspas na formulação do autor. Apenas sinal gráfico de realce ou algo mais? Em contraste, o subtítulo do segundo volume tem uma ideia assertiva. O que isso pode sugerir? Gabriel Cohn chama atenção a isso:

> Mas que ninguém leve essas expressões ao pé da letra. Todas elas designam algo de *problemático* na sociedade brasileira. Problemática é a integração do negro; problemático é o legado que se examina, que não é o do negro, mas o da "raça branca" (entre aspas); problemática é a constituição da sociedade de classes. Mas será também problemático o "limiar de uma nova era", que o subtítulo do segundo volume aparentemente proclama num tom que lembra o clarim que deu nome ao principal órgão da imprensa negra? (Cohn, 2002:387-388)

Categorias analíticas em suspensão, com sua existência no mundo social igualmente marcada por oscilações que, individualmente, frustram um projeto coletivo de mudança real. "Da passagem do escravo ao cidadão", capítulo do trabalho anterior (1955) para agora, o problema da cidadania se complexifica, a ponto de os grupos e as relações sociais racializadas que estabelecem sejam perscrutados com mais desconfiança, compondo o cenário pós-Segunda Guerra Mundial, em que a Unesco patrocina pesquisa sobre relações raciais, ao mesmo passo que promove conclave de intelectuais para debater a validade científica da ideia de raça, jogando-a por terra, num momento alto das ciências sociais com o texto *Raça e história*, de Claude Lévi-Strauss (1952 [1970]).

Em *A integração*, "brancos", "negros", "mulatos" não se realizam como cidadãos completos, se os direitos de uns estiverem tolhidos pelos dos outros, tornando-se limites objetivos de si e da sociedade. Sendo a ordem social competitiva um fato em processo, sua inadiável *reforma* é o que está em jogo; tarefa da história imposta a "Os movimentos sociais no 'meio negro'", alvo de análise detida de grande parte do segundo volume, observando seu surgimento, ideias, alcances e limites.

Não bastaria que *o negro* denunciasse a democracia racial e a cidadania como falácias: *o branco*, por sua vez, teria que aceitar a denúncia e igualmente desacreditar o mito. A radicalidade da reforma não seria satisfeita, por exemplo, no texto vacilante da Lei Afonso Arinos (de 3 de julho de 1951), tornando a discriminação de cunho racial em espaços públicos *contravenção*. Os ativistas e intelectuais negros denunciam-na como limitada (Leite e Cuti, 1992), num contexto em que se colocam como tarefa o *adestramento* do negro — ideia presente nos propósitos da Frente Negra Brasileira (1931-1937), em Abdias do Nascimento ao se referir ao Teatro Experimental do Negro (1944), na organização do Congresso do Negro Brasileiro (1950) (Nascimento, 1982). Educar e organizar o negro socialmente, no ambiente das associações, significa, também, *fazer o mesmo* com o branco, sem o qual a reforma da ordem não se concretizaria: "o 'negro' jamais poderia ter êxito sem a compreensão, a cooperação e a solidariedade do 'branco'" (Fernandes, 1978b:9).

Está colocado em pauta o problema da *ressocialização* de brancos e negros, na nova ordem social. No caso dos últimos, o papel desempenhado por associações e clubes, que de recreativas e culturais paulatinamente galgam aspectos reivindicatórios. A concretude desse caminho é expressa nas memórias de um dos principais colaboradores de Fernandes, o ativista autodidata José Correia Leite (1900-1989), ao narrar, das décadas de 1920 a 1960, diferentes aspectos e histórias dessas tentativas, expressas, por exemplo, no subtítulo de um dos jornais que ajudou a fundar, *O Clarim d'Alvorada*. De *literário, noticioso e humorístico* torna-se *noticioso, literário e de combate* (Leite e Cuti, 1992:33-43).

Emergido na história e com seus propósitos definidos entre intelectuais orgânicos, quais são os limites de realização do povo, no caso, o negro? Na marcha dos argumentos, o problema da resistência sociopática à mudança, aliada ao mito da democracia racial, explicita, para o grupo negro, um duplo aspecto constritor. Tratava-se de um pequeno grupo o de intelectuais e ativistas negros, em meio a associações de vida sazonal, sendo raras as que durassem uma década, compostas por afiliados majoritariamente pouco instruídos e com pouco poder aquisitivo. Destarte,

[...] essa massa podia ser um ingrediente explosivo, se os movimentos fossem socialmente revolucionários. Como eles aceitavam a ordem social existente, parando suas reivindicações no limiar da repartição dos pães, e como eles não encontravam eco dentro dessa mesma ordem — pois os "brancos" não se dispuseram nem a ouvir nem a entender as reivindicações e o "protesto negro" — não estavam em condições de aproveitar essa massa e de conduzi-la aos objetivos apregoados [...]. Exerceriam enorme influência construtiva sobre a "população de cor". Mas, ficariam condenados a desempenhar um papel de entreato, pois não podiam ir além. [...]". (Fernandes, 1978b:67-68)

Um desejo de *querer coletivo*, por mais abnegado que fosse, não se traduzia, necessariamente, em *poder coletivo*. No período em tela, da Frente Negra Brasileira, passando por jornais como *Alvorada*, *Novo Horizonte*, *Senzala*, *Mutirão*, aos primórdios da Associação Cultural do Negro, em São Paulo, essa máxima se torna realidade. Criados e recriados, por vezes, pelos mesmos círculos de militantes; envoltos em disputas de projetos políticos contraditórios, que poderiam se tornar ascensões individualistas, tornando grupos acéfalos, é lapidar a pergunta do autor: "[...] Onde a cooperação é tão difícil, como organiza-se um grupo de pressão ou um grupo de conflito?" (Fernandes, 1978b:77).

Em reconstrução permanente, a luta por direitos precisa ser continuamente ritualizada coletiva e historicamente. A memória social que recupere o protagonismo do negro precisa ser acionada. Ela reconfigura o passado, tornando-se uma forma de luta. Acionando datas como o 28 de Setembro (assinatura da Lei do Ventre Livre, reconvertida no *Dia da Mãe Negra*), o 13 de Maio (que passa da Lei Áurea para a palavra de ordem *Segunda Abolição*); ou figuras como José do Patrocínio, Luiz Gama (e também Antônio Bento, com seus *caifazes*), entre outros, ocorre, simultaneamente, a ressignificação do *lugar desse povo* na história social e a *reivindicação pelos direitos* acionados por suas memórias. A reforma do *status quo*, angulada assim, "constituía um princípio subversivo e que, nesse ponto, impunha-se 'pôr a negrada em seu lugar'. [...] Penetra, desse modo, em uma nova era histórica para a 'população de cor' na cidade de São Paulo, afirmando-se como homem livre e como cidadão [...]" (Fernandes, 1978b:114-115)

Do liberto ao cidadão; do eito, mundo rural e lavoura para a fábrica, repartições públicas e cidade; dos cortiços e porões para os bairros periféricos e favelas emergentes: nos anos 1950, se a ordem social competitiva se expande e o capitalismo tinha operado até então com aspectos emancipatórios, seus custos sociais coletivamente partilhados não são menores. Mesmo que estratificado nas posições subalternas — com as honrosas exceções, confirmantes da regra —, o negro penetrou na sociedade de classes. Esse ponto parece ser um dos grandes momentos de tensão do segundo volume, inaugurado com o debate sobre as "Impulsões igualitárias de integração social".

Aqui aparecem o tema da *metropolização* de São Paulo e o lugar dos sujeitos sociais nela; um longo debate sobre os significados dos associativismos negros em face da ascensão individual de sujeitos; o tema das favelas, nascentes no começo dos anos 1940 na capital paulista e que se tornam uma consequência da lógica desenvolvimentista — o autor cita, inclusive, como uma de suas fontes o diário de uma favelada (Jesus, 1960). Mesmo sendo a desigualdade social um fato, corolário de seus argumentos, ele dirá:

> A principal barreira à ascensão social do negro e do mulato é de natureza estrutural. Se a passagem para a ordem social competitiva se desse de forma rápida e homogênea, do ponto de vista da absorção dos estoques raciais em presença, teria desaparecido o paralelismo entre "raça negra" e "posição social inferior" [...]. Como isso não ocorreu, a diferença entre a situação de contato racial imperante na década de 50 e a que existia no período de 1900-1930 é meramente de grau. Em outras palavras, a expansão da ordem social competitiva adquiriu densidade e intensidade suficientes para se refletir no plano das relações raciais. O padrão tradicionalista de relação racial assimétrica começou a entrar em crise irreversível e, com ele, o mencionado paralelismo entre a estratificação racial e a hierarquia social da sociedade paulistana. Note-se, porém: *apenas começou a entrar em crise*. O que quer dizer que estamos, ainda,

próximos do passado, que dá imagem de uma democracia racial incipiente e imperfeita. Doutro lado, o que irá acontecer no futuro depende de condições e fatores histórico-sociais incertos e, a julgar pelo presente, de continuidade ou de alcance imprevisíveis. (Fernandes, 1978b:196-197)

Pode-se dizer que aqui residem aspectos da *aposta* do subtítulo desta parte do meu texto. *A integração do negro na sociedade de classes*, apesar de todo o exposto, opera arriscando seus argumentos em direção à sociedade, à possibilidade de autodeterminação do *povo*, *o subalterno*, *o negro*, ser senhor de si e de sua História — e não mero instrumento das classes dominantes. Ao passo que "[...] não podemos endossar as opiniões 'otimistas'. O caminho percorrido foi quase insignificante, não correspondendo nem aos imperativos da normalização da ordem social competitiva, nem às aspirações coletivas da 'população de cor'" (Fernandes, 1978b:197), isso não significa negar a sociedade em detrimento de *soluções pelo alto*.

Curto-circuito e círculo fechado

Não é incomum encontrar nas linhas de *A integração* a palavra *drama*. Ela vem a calhar ao pensar na conjunção de texto e contexto, na fatura da obra e suas condições sociais de produção. Intitulada a terceira parte do volume "O problema do negro na sociedade de classes" como referência, os desafios impostos a ele, nos anos 1950 e 1960, são *metonímias* dos dilemas da nossa realização democrática. A história e seu desenrolar, que são conhecidos 50 anos depois do golpe de estado civil-militar em 31 de março de 1964, qualificam sobremaneira o sentido da aposta *dramática* que se encerra, tanto nas linhas do livro quanto na atuação do sociólogo, dos intelectuais e ativistas negros e dos setores mais progressistas da sociedade brasileira de então.

Abrindo-se a sociedade de classes, no entanto, pode acontecer *uma modernização sem mudanças* — o que tornaria cada vez mais possíveis golpes de modernização sem democracia. Esse diagnóstico da realidade está apontado em *A integração*. Sofrendo pressões pela integração racial

— mas não apenas[14] —, aquela sociedade não se abria, efetivamente, pela disputa do poder — o que leva à formulação, pelo autor, de que haveria uma *condição quase monolítica* de dominação pelos círculos dirigentes (Fernandes, 1978b:333). Dado o tamanho da pressão dos subalternos, passariam alguns temas e indivíduos pelo funil do monólito, mas não se configuraria numa solução grupal dos problemas de concentração de renda, desigualdade de poder ou prestígio social (Fernandes, 1978b:346).

Ou seja: chegou-se a um impasse, exigente de um desfecho. Mantidas irresolutas as questões do passado que nos formou, "não teremos uma democracia racial e, tampouco, uma democracia. Por um paradoxo da história, o 'negro' converteu-se, em nossa era, na pedra de toque da nossa capacidade de forjar nos trópicos este suporte de civilização moderna" (Fernandes, 1978b:463). Dessa maneira o autor encerra o livro, sem uma solução precisa que se encontre em outro lugar que não na ação do *povo*.

Na década seguinte, após ter sido cassado, aposentado compulsoriamente e perdido seu lugar social, o autor questionaria seus propósitos, conferindo à aposta um outro lugar de realização, que não seria mais, aparentemente, a ampla reforma social da democracia, mas a utopia do socialismo e da revolução radical. Um balanço sobre esse caminho ainda está por ser feito.

Referências

BASTIDE, Roger. *Estudos afro-brasileiros*. São Paulo: Perspectiva, 1973.

____; FERNANDES, Florestan. *Brancos e negros em São Paulo*. 3. ed. São Paulo: Global, 2008.

BASTOS, Elide R. Pensamento social na escola sociológica paulista. In: MICELI, Sergio. *O que ler na ciência social brasileira*. São Paulo: Anpocs; Sumaré; Brasília: Capes, 2002. pp. 183-230.

---

[14] O contexto dá conta dos temas explosivos em que a sociedade dos anos 1950 e 1960 se viu imersa: lutas por direitos no campo (1963), debate sobre a educação pública (1961-62), problema dos excedentes no ensino superior (1964).

BICUDO, Virgínia Leone. *Atitudes raciais de pretos e mulatos em São Paulo*. São Paulo: Sociologia e Política, 2010.

CAMPOS, Antonia J. M. *Interfaces entre sociologia e processo social*: A integração do negro na sociedade de classes e a pesquisa Unesco em São Paulo. Dissertação (mestrado) — Instituto de Filosofia e Ciências Humanas, Universidade de Campinas, Campinas, 2014.

CARDOSO, Fernando Henrique. Uma pesquisa impactante. In: BASTIDE, Roger; FERNANDES, Florestan. *Brancos e negros em São Paulo*. 3. ed. São Paulo: Global, 2008. p. 09-16

COHN, Gabriel. Florestan Fernandes: *A integração do negro na sociedade de classes*. In: MOTA, Lourenço Dantas (Org.). *Introdução ao Brasil, um banquete nos trópicos*. São Paulo: Senac, 2002.v. 2, p. 385-403.

CUTI e FERNANDES, Maria das Dores. *Consciência negra do Brasil:* os principais livros. Belo Horizonte: Mazza Edições, 2002.

DUARTE, Paulo. Negros do Brasil. *O Estado de S. Paulo*, São Paulo, 16 e 17 abr. 1947.

FERNANDES, Florestan. *A integração do negro na sociedade de classes*: no limiar de uma nova era. São Paulo: Ática, 1978a. v. II.

____. *A integração do negro na sociedade de classes*: o legado da raça branca. São Paulo: Ática, 1978b. v. I.

____. *A sociologia numa era de revolução social*. 2. ed. Rio de Janeiro: Zahar, 1976.

____. *Mudanças sociais no Brasil*. 4. ed. São Paulo: Global, 2008.

FERRARA, Miriam N. *A imprensa negra paulista (1915-1963)*. São Paulo: FFLCH/USP, 1986.

GOLDMANN, Lucien. *Le Dieu caché*: étude sur la vision tragique dans les pensées de Pascal et dans le theatre de Racine. Paris: Gallimard, 1959.

HOLANDA, Sergio Buarque de. *Raízes do Brasil*. 18. ed. Rio de Janeiro: José Olympio, 1984.

JESUS, Carolina Maria de. *Quarto de despejo*: diário de uma favelada. São Paulo: Francisco Alves, 1960.

LEITE, José Correia; CUTI. *...E disse o velho militante José Correia Leite*. São Paulo: Secretaria de Cultura, 1992.

LÉVI-STRAUSS, Claude. Raça e História. In: COMAS, Juan et al. *Raça e ciência*. São Paulo: Perspectiva, 1970, v. I, p. 231-270

MAIO, Marcos Chor. *A história do projeto Unesco*: estudos raciais e ciências sociais no Brasil. Tese (doutorado) — Instituto Universitário de Pesquisas do Rio de Janeiro, Universidade Candido Mendes, Rio de Janeiro, 1997.

NASCIMENTO, Abdias do. *O negro revoltado*. 2. ed. Rio de Janeiro: Nova Fronteira, 1982.

SEREZA, Haroldo C. *Florestan*: a inteligência militante. São Paulo: Boitempo, 2005.

SILVA, Mário A. M. da. *A descoberta do insólito*: literatura negra e literatura periférica no Brasil. Rio de Janeiro: Aeroplano, 2013.

WAISELSFIZ, Júlio J. *A cor dos homicídios no Brasil*: mapa da violência. Disponível em: <www.mapadaviolencia.org.br/pdf2012/mapa2012_cor.pdf>. Acesso em: 2 jul. 2014.

CAPÍTULO **5**

A investigação social:
projeto, prática e reflexividade*

Juan Ignacio Piovani

NESTE ARTIGO serão expostas algumas ideias sobre pesquisa em ciências sociais cujos argumentos, embora desenvolvidos minuciosamente ao longo do texto, se apresentam aqui em forma resumida e esquemática à guisa de introdução. Irá se sustentar que a pesquisa sempre se funda, embora em graus variáveis, em decisões baseadas em ideias e conhecimentos preexistentes que a tornam possível. Nesse sentido, não se pode pensar a pesquisa sem algum grau de projeto, entendido como antecipação de um modelo das decisões e práticas de pesquisa, o que implica certo nível de planejamento prévio. Mas o projeto, materializado em tal planejamento, jamais esgota o complexo da trama de decisões e práticas que se põem em jogo na pesquisa. E a proposta deste artigo é examinar esses argumentos a partir de um exercício de reflexão metodológica, dando conta da estrutura do processo de investigação social e das decisões fundamentais que orientam seu projeto e, por consequência, sua prática.

Neste ponto convém fazer alguns esclarecimentos, dado que o termo reflexividade, como assinala Lynch (2000), tem sido usado nas ciências sociais e humanas em uma confusa variedade de formas; por exemplo, como ferramenta metodológica, como uma propriedade independente dos sistemas sociais ou como uma fonte de "iluminação" individual. Em nosso caso já adiantamos que o termo faz alusão à ideia de reflexão metodológica, que se funda na autocrítica ou, como afirma Hidalgo (2006), em um "pensar no que se faz" (nesse caso, como pesquisadores e sobre a pesquisa). Apesar disso, esse pensar no que se faz pode

---

*Tradução de Victor da Rosa. Revisões do autor e do editor.

ter múltiplas conotações: em um sentido pode remeter a uma sorte de "relato dos segredos da pesquisa" (Hidalgo, 2006), mas também pode aludir, em particular na antropologia, à

> capacidade de "refletir", "objetivar" ou "conceber" o próprio lugar no campo e a incidência de condições socioculturais do/a investigador/a no texto final, percebendo de maneira mais completa e problemática o processo de conhecimento [...] intersubjetivo entre pesquisador/a e sujeitos do estudo. (Guber, 2014:16)

Embora de nenhum modo pretendamos desconsiderar tudo aquilo que potencialmente trazem essas maneiras de entender a reflexividade para um exercício mais crítico de pesquisa social, cabe assinalar que em nosso caso não nos referimos tanto à atitude do pesquisador que reflete sobre a sua prática de pesquisa concreta, e sim à pesquisa sobre o que significa o processo de investigação do ponto de vista metodológico, buscando, nesse contexto, uma recuperação da metodologia em seu sentido etimológico, ou seja, como análise crítica dos caminhos (métodos) que usamos nas ciências sociais para produzir e validar conhecimento, o que inclui o exame das circunstâncias de tais métodos, dos processos sócio-históricos implicados em sua construção e aceitação, e de sua relação com diferentes posicionamentos teóricos e epistemológicos.

Lynch (2000) critica a ideia de que a reflexividade é uma fonte de vantagens metodológicas, e afirma que ela é uma característica normal e inevitável de toda ação. Apesar disso, muitos (por exemplo Kaplan, 1964; Marradi, 2002) têm chamado a atenção para a frequente carência de reflexividade metodológica na investigação social, no sentido que temos atribuído. Isso se manifesta na tendência de conceber acrítica e rigidamente o processo de pesquisa — como mera sucessão de passos predefinidos — e no apelo ritualista a métodos e técnicas, independentemente do tipo de perguntas que são formuladas e sem reconhecer o caráter instrumental das técnicas no processo de produção de conhecimento.

A reflexividade que sugerimos opera ao serviço dos objetivos do artigo, no sentido de favorecer uma análise do processo de pesquisa que ponha em evidência sua não linearidade, assim como a inevitável presença dos conhecimentos pessoais e tácitos (no sentido de Polanyi, 1958, 1966), e o caráter recursivo que, embora em diferentes graus, sempre aparece na relação projeto/prática da pesquisa (distinguidas aqui, de um ponto de vista analítico, em torno do trabalho de campo, que permite, como exercício de observação, diferenciar um antes [projeto], um durante [prática] e um depois). Como dizíamos, isso se baseia na recuperação da metodologia em seu sentido etimológico, sendo conscientes de que ela se encontra em uma permanente tensão dialética entre polos de um *continuum* representados, por um lado, pelo estudo dos postulados epistemológicos que fazem possível o conhecimento social e, por outro, pelas técnicas de pesquisa (Marradi, 2002). Como diz Bruschi (1991), se a metodologia abandona seu lado epistemológico, ela se reduz a uma tecnologia que já não controla intelectualmente; mas se abandona o lado técnico, ela se transforma em pura reflexão filosófica sobre as ciências sociais, incapaz de incidir sobre as atividades de pesquisa empírica.

Alinhado com esta atitude de examinar nossas próprias decisões e práticas científicas, é essencial começar pela definição de algumas palavras-chave que irão permitir dar um sentido determinado ao desenvolvimento dos argumentos que sugerimos anteriormente. Por um lado, porque enfrentamos o problema de que as ciências sociais têm menos termos do que conceitos e, então, ocorre frequentemente que o mesmo termo é utilizado para referir-se a coisas distintas (como já assinalamos, por exemplo, no caso da "reflexividade"). Por outro lado, porque as definições conceituais estão vinculadas a tradições científicas, a distintas formas de entender ciência e realidade e, portanto, uma definição implica uma tomada de posição.

No contexto deste artigo vamos utilizar o termo "pesquisa" em sentido relativamente amplo. Mediante uma primeira aproximação enciclopédica, é possível defini-lo como um processo sistemático e organizado por meio do qual se busca descobrir, interpretar e revisar certos fatos, e cujo resultado é um maior conhecimento deles.

Esse processo envolve uma grande quantidade de decisões e ações articuladas e com diferentes níveis de complexidade. De um ponto de vista mais restrito — no quadro da concepção tradicional da ciência[1] —

---

[1] Também chamada concepção *standard*, canônica ou herdada (*received view*). Sobre esta visão da ciência, veja-se Outhwaite (1987); Piovani (2002); Marradi, Archenti e Piovani (2007).

se limita, particularmente, ao conjunto de decisões e atividades orientadas de modo a estabelecer relações causais entre diferentes aspectos da realidade em estudo ou, ao menos, ao controle empírico (e impessoal) de hipóteses, ou seja, conjecturas que postulam certo tipo de relação entre determinados aspectos da realidade observável. Preferimos não adotar esse sentido limitado da expressão "pesquisa científica" não apenas devido a diferenças em relação a sua postura subjacente sobre ciência, como também pela razão mais instrumental de que uma definição tão restrita nos colocaria uma série de dificuldades insuperáveis para o tipo de trabalho que realizamos habitualmente nas ciências sociais, e ao qual igualmente chamamos pesquisa. Vamos defini-la, de outra maneira, como um processo que envolve um conjunto de decisões e práticas (que, por sua vez, põe em jogo instrumentos conceituais e operativos específicos) que se desdobram ao longo do tempo e pelas quais conhecemos — o que pode significar descrever, analisar, explicar, compreender ou interpretar — algumas situações de interesse cuja definição e delimitação (ou construção) formam parte das decisões a que já fizemos alusão. Deve ficar claro que estamos tratando de investigações empíricas, ou seja, aquelas nas quais é estabelecido algum tipo de relação observacional com a situação de interesse (ou com alguns de seus aspectos).

Retomando a questão da reflexividade metodológica, sugerimos pensar a pesquisa como um objeto de questionamento: o que fazem (e dizem fazer) os/as cientistas quando pesquisam? Poderíamos começar a análise isolando e enumerando todas as práticas envolvidas: cientistas formulam perguntas; buscam, leem e tomam notas de textos; organizam reuniões da equipe de pesquisa (no caso de se tratar de uma pesquisa de grupo); discutem perspectivas teóricas; projetam modos de recolher dados (questionários, por exemplo); realizam observações diretas; utilizam softwares de análises (quantitativo e/ou qualitativo); escrevem *papers*, entre muitas outras coisas.[2] Porém, como fica evidente com esses poucos exemplos, nem todas as ações são de um mesmo tipo ou permitem cumprir os mesmos objetivos. Então, para compreender o

---

[2] Esta lista tem fins unicamente ilustrativos. É evidente que nem todas as tarefas enumeradas se apresentam em uma mesma investigação pontual, ou se repetem de maneira idêntica de um estudo para outro.

que fazemos quando investigamos, além de enumerar ações e decisões, é oportuno conhecer o sentido das mesmas, seus encadeamentos, articulações e recursividades, assim como sua organização hierárquica no que diz respeito a certos fins, colocando em evidência o caráter instrumental que a maioria dessas práticas adquire com relação ao cumprimento dos objetivos que poderíamos considerar metaforicamente no auge de um processo de pesquisa e que são aqueles de tipo cognitivo: que conhecimentos trazem esta nova pesquisa, e sobre quais aspectos da realidade social?

Dessa forma, por exemplo, podemos pensar que a visita a uma biblioteca universitária é uma das práticas que, potencialmente, nos permitem buscar, selecionar e acessar materiais científicos cuja leitura e análise crítica, por sua vez, é fundamental para a construção de um estado de arte que, dessa forma, torna possível situar nossos interesses de pesquisa pontuais no quadro de um campo problemático e colocá-los em diálogo com contribuições anteriores. No entanto, por outro lado, também será útil perceber a forma como têm sido definidas e abordadas certas indagações relacionadas às nossas, e como têm sido utilizados alguns conceitos e métodos. E tudo isso com o objetivo de, recursivamente, contribuir para dar forma ao objeto mesmo de nossa pesquisa e ao modo de fazê-lo operativo do ponto de vista da construção de uma resposta teoricamente sólida e empiricamente fundamentada, seguindo aqueles caminhos (métodos) que formam parte do acervo compartilhado na comunidade acadêmica em uma disciplina determinada.

Em definitivo, o que queremos dizer é: 1) que todas estas ações que estamos descrevendo em nosso exemplo não são um fim em si, senão que possuem claras conotações instrumentais para cumprir objetivos cognitivos da pesquisa, 2) que tais ações fazem sentido no quadro da pesquisa que as orienta e para a qual se desenvolvem (por exemplo, a visita à biblioteca é fundamental para a procura de textos científicos que sejam relevantes para a pesquisa, e não para satisfazer outros fins que poderiam ser considerados, nesse caso, secundários), 3) que apresentam articulações, encadeamentos e recursividades, ou seja, não se esgotam em si mesmas, mas podem, por outro lado, permitir novas ações de um mesmo ou outro tipo (por exemplo, a visita à biblioteca poderia permitir selecionar um texto cuja leitura irá mobilizar novas buscas bibliográficas mais delimitadas, ou poderia iluminar um aspecto não contemplado previamente, contribuindo para redefinir ou ajustar o objeto de pesquisa em construção).

Tendo já assinalado a possibilidade de isolar analiticamente as decisões e ações pontuais que definem o processo de pesquisa, nos interessa agora transcender essa mera enumeração, nucleando as diferentes ações — a partir dos inevitáveis encadeamentos e articulações que as conectam — em categorias conceituais mais abstratas que permitem fazê-lo inteligível, pondo em evidência o que consiste tal processo do ponto de vista estrutural (além do reconhecimento de que cada pesquisa social é, por definição, única e diferente das outras, mesmo no caso da repetição de questões anteriores). Nesse sentido, sugerimos uma forma de representação conceitual do processo de pesquisa a partir de núcleos fundamentais, expressados através de conceitos relacionados entre si, que permitem dar conta do que fazemos quando pesquisamos, pelo menos com fins analíticos e didáticos, e que condensam as decisões e práticas de pesquisa dos diferentes níveis e tipos possíveis.

Em primeiro lugar, sustentamos que algumas das coisas que fazem os pesquisadores, mesmo que tenham alcances variados, buscam tornar possível a construção de objetos de indagação, posto que aquelas questões das ciências sociais que lhes interessam, mesmo tendo um forte vínculo com o que chamamos genericamente de "realidade social", não se encontram organizadas "espontaneamente" do modo como as definimos e abordamos cientificamente. E isso constitui o primeiro dos núcleos estruturais do processo de pesquisa, base na qual resumem práticas tais como a formulação de perguntas teóricas e/ou empíricas, a enunciação de objetivos cognitivos, a proposição de respostas antecipadas — hipótese —, a definição de conceitos teóricos-chave, a revisão de antecedentes etc. Esse núcleo, de resto, tem uma função que rege o processo de pesquisa, já que todas as outras decisões e ações que lhe seguem estarão condicionadas por sua operacionalização,[3] propondo, assim, tornar possível o estudo de tal objeto.

---

[3] Falamos neste caso de "operacionalizar" o objetivo para nos referir ao processo pelo qual ele se torna operativamente investigável. Nota-se que na literatura metodológica o termo "operacionalização" tem geralmente um sentido mais restrito, que se refere à

Nesse sentido, e com o objetivo de produzir respostas em relação a seus objetos de pesquisa, que se referem a fenômenos específicos relativos a unidades determinadas e situadas em contextos espaçotemporais concretos, os pesquisadores definem e põem em prática estratégias que permitam explorá-los empiricamente, entrando em contato observacional — direto ou mediado — para "coletar dados" (segundo a terminologia metodológica clássica) sobre aquelas questões que delimitam o foco do interesse da investigação. A coleta ou produção (de dados, informações etc., segundo a perspectiva que se adote) constitui então outro núcleo do processo de pesquisa.

Mas, para que o referido contato observacional seja factível, também se devem selecionar "casos" (sujeitos, grupos, bairros, escolas, fábricas etc.) que conformam as situações sociais de interesse em uma base por meio da qual se podem desdobrar estratégias de coletas, seja tratando-se de uma enquete, por exemplo, ou de uma observação participante. Nesse processo de seleção, que define outro dos núcleos que sugerimos, converge uma série de decisões e práticas com características específicas, que se ajustam a critérios diferenciais segundo o tipo de estudo, mas que resultam inevitáveis na pesquisa empírica.

A interação entre as estratégias de coletas (por exemplo, uma entrevista) e os casos selecionados concretos (por exemplo, um entrevistado) caracteriza em certo sentido o que conhecemos tradicionalmente como "trabalho de campo", que por sua vez torna possível a produção de uma multiplicidade de informações que deverão ser analisadas e interpretadas de modo a construir uma resposta empiricamente fundamentada para o problema da pesquisa levantado, e que poderá se materializar, por exemplo, em *papers*, artigos, livros etc.

É neste sentido que sugerimos que os núcleos estruturais fundamentais de toda pesquisa social empírica, definidos a partir de decisões e práticas que os pesquisadores levam a cabo, embora adquiram conotações especiais e exijam soluções teóricas, metodológicas e técnicas diferentes segundo o tipo de investigação de que se trate, podem definir-se como: CONSTRUÇÃO DO OBJETO (e, a partir de sua operacionalização);[4]

---

seleção de indicadores (referentes empíricos) de uma propriedade conceitual abstrata (Lazarsfeld, 1973). Mais adiante usaremos o termo também nesse sentido.

[4] Por vezes se refere a isto como "desenvolvimento do problema de pesquisa".

SELEÇÃO; COLETA — TRABALHO DE CAMPO; ANÁLISE — INTERPRETAÇÃO; ESCRITA — COMUNICAÇÃO.

Essa caracterização do processo de pesquisa que estamos apresentando faz alusão, como já está evidente, a uma variedade de decisões e práticas complexas que, segundo o consenso existente na literatura metodológica, podem e devem antecipar-se em um exercício de desenho. E, com efeito, a ideia que muitos metodólogos e cientistas sociais compartilham é que a pesquisa começa no mesmo momento em que se começa a planejá-la ou concebê-la. Como se poderá constatar, o projeto de pesquisa se assemelha à ideia que se tem do projeto em outros âmbitos da atividade humana, incluindo aqueles da vida cotidiana com os quais estamos mais familiarizados. Uma analogia muitas vezes útil pode ser estabelecida com o projeto de uma casa: ele não é a casa em si — como objeto tangível —, mas sim uma antecipação exemplar e abstrata dela, uma representação esquemática de como será, e um detalhe das ações necessárias para poder construí-la, convertendo-a assim em um objeto tangível. O grau de detalhe dessa antecipação exemplar pode variar desde o simples esboço — no qual se apresentam algumas ideias gerais orientadoras daquilo a que se aspira — até um conjunto de planos, desenhos de vistas, pré-seleção de materiais, pressupostos etc. que com grande nível de detalhes permitirão, por um lado, guiar o processo de construção efetiva e, por outro, dar uma ideia de como será a obra acabada.

Na pesquisa empírica, essa antecipação abstrata das decisões que serão tomadas durante seu curso também pode variar. Nesse caso, tal variação se dará em função do grau de detalhe e explicitação que as decisões teóricas e metodológicas adquirem antes do estabelecimento de algum tipo de contato observacional com os fenômenos de interesse.

Essa concepção do projeto tem duas consequências importantes, sendo a primeira delas já antecipada no parágrafo inicial do artigo. Por definição, não é possível uma atividade de pesquisa não planejada; o que pode existir, por outro lado, são atividades de pesquisa com distintos graus ou níveis de planejamento (entendendo por isso o conjunto de decisões prévias ao contato observacional com os fatos/condutas/situações/textos de interesse — seja ele direto ou mediado, natural ou artificialmente recriado). Por outra parte, do ponto de vista do grau de detalhe do projeto da pesquisa, não se pode pensar em tipos fechados, mas em um *continuum* de projetos possíveis.

Este *continuum* está limitado por dois polos antagônicos que habitualmente se conhecem por "projeto estruturado" e "projeto emergente" (Valles, 1997). No primeiro extremo tudo está absolutamente planejado de antemão: nada do que se leve a cabo durante o processo de pesquisa exigirá decisões não previstas ou se isolará do que já foi pensado. A investigação implicará somente em uma fiel execução do plano. No segundo extremo, por outro lado, nada está planejado: as decisões que farão possível a pesquisa irão "emergindo" durante o processo mesmo, seguindo uma lógica de *feed-back* a partir das regras que irão surgir do trabalho observacional de campo.

É preferível conceituar esses dois polos como tipos ideais, visto que na prática não se pode conceber uma pesquisa que — por mais prolixa ou completamente planejada que esteja — não exija decisões posteriores enquanto se vá desenvolvendo, não apresente situações imprevistas ou demande do conhecimento pessoal e tácito daqueles que a levam adiante — em momentos insuspeitos — para que o processo chegue a algum lugar. Por sua parte, um modelo em que todas as decisões vão surgindo durante o processo mesmo de pesquisa tampouco é possível: sempre haverá um mínimo de decisões prévias que tornam possível a pesquisa.

Portanto, levada às últimas consequências, a ideia de projeto estruturado não é realista; é apenas uma consequência das múltiplas tentativas de reduzir a prática científica à completa certeza, ao que se pode explicitar, ao mero conhecimento impessoal formalizado. A ideia de projeto emergente, por sua parte, é uma contradição em termos, já que implica a negação da ideia mesma de projeto: em que sentido se pode falar de algo projetado se não foi projetado? Cabe assinalar a esse respeito que o projeto emergente, supostamente "liberador" das amarras de concepções rígidas herdadas do positivismo (que exigem projetos rigorosos de testes de hipóteses), também tem sido severamente criticado porque tende a promover um tipo de pesquisa que se apresenta como ateórico, e no qual tudo "surge" dos dados, como se a realidade "falasse por si própria". Desse ponto de vista, no plano epistemológico o projeto emergente representa uma forma de indutivismo ingênuo.

Na prática real de pesquisa, de fato, acontecem situações intermediárias entre esses polos ideais, assim como diferentes combinações de algumas das características de cada um deles. O que se propõe então é a ideia de "projetos flexíveis", que podem ser mais ou menos estruturados — como se dizia anteriormente — segundo o grau de detalhe que o planejamento prévio possui. Assumimos, no entanto, que existe um conjunto de decisões presentes em qualquer tipo de pesquisa; esse "mínimo" de planejamento implica decisões que podem ser agrupadas em quatro grandes conjuntos, seguindo alguns dos núcleos estruturais fundamentais com os quais temos definido o processo de pesquisa social:

- Decisões relativas à construção do objeto / delimitação do problema a pesquisar;
- Decisões relativas à seleção;
- Decisões relativas à coleta;
- Decisões relativas à análise.

Se todas elas estão presentes de um modo ou de outro no projeto de pesquisa, vão adquirir diferentes características em cada caso particular. Para tornar clara essa questão, é necessário fazer uma distinção já presente na filosofia grega clássica: ato e potência. A seguir se apresentam dois exemplos — um relativo às decisões de seleção e outro às de coleta — que irão permitir esclarecer esse argumento, tomando como referência situações típicas de estudos quantitativos ou qualitativos das ciências sociais:

1. A seleção dos sujeitos a serem entrevistados no âmbito de uma pesquisa de opinião (pesquisa tipicamente quantitativa) se realiza habitualmente antes de começar o trabalho de campo, especialmente se se pretende ter certo controle sobre as possibilidades de generalização dos resultados obtidos na amostra. Obviamente, sem uma seleção de sujeitos a entrevistar não é possível entrevistá-los. Nesse caso, a seleção é ato já na fase de projeto: a amostra é um produto tangível (por exemplo, uma lista de pessoas) e isso pode ser o resultado de complexos procedimentos de seleção sem que tenha havido uma aproximação direta com a população de referência. Em outros casos, essas

decisões de seleção estão apenas vislumbradas, são mera potência. Pensemos em um trabalho etnográfico (pesquisa distintivamente qualitativa), em que as observações de campo serão complementadas com entrevistas em profundidade, porque isso foi considerado pertinente em relação aos objetivos cognitivos que se perseguem. Imaginemos inclusive que se delineou uma estratégia e um conjunto de critérios para selecionar os entrevistados. Apesar disso, muito provavelmente a materialização do sujeito entrevistado não seja alcançada até que se adquira um conhecimento direto, com a observação de campo, das pessoas que formam uma situação social específica. Em outras ocasiões, os resultados de tal observação poderiam mudar o panorama vislumbrado de modo preliminar, sendo necessária uma revisão dos critérios sobre quem entrevistar, levando em consideração o lugar que as diferentes pessoas ocupam na situação de interesse. É dizer, por exemplo, que alguém que de antemão se pensava chave como potencial informante se descobre logo irrelevante, e alguém que não havia sido sequer considerado se revela um informante excepcional.

2. Para realizar a sondagem a que se vem fazendo referência, irá se recorrer a um questionário padronizado que foi cuidadosamente planejado de antemão (inclusive posto à prova para controlar sua efetividade). Embora essas provas prévias impliquem em geral algum tipo de contato direto com sujeitos análogos àqueles a quem estão destinadas, o instrumento de coleta de informações — o questionário — é um produto concreto que foi planejado de maneira íntegra antes de se levar a cabo o trabalho de campo. A coleta se limitará a aplicar de um modo uniforme o mesmo questionário a todas as unidades da amostra, seguindo idêntica ordem e utilizando inclusive as mesmas palavras, que são aquelas que foram escolhidas na redação das perguntas. Aqui, como se pode constatar facilmente, muitas das decisões de coleta, especialmente as relativas ao instrumento que a tornará possível, são tanto ato como produto do projeto: sem questionário não é possível realizar as enquetes. Por outro lado, passando agora ao exemplo das entrevistas em profundi-

dade, o conteúdo e ordem específicos das perguntas não termina de desdobrar-se até que elas ainda não tenham sido feitas. A entrevista também é uma atividade planejada, e isto entre outras coisas se manifesta no guia de orientação construído, que será mais específico e detalhado quanto mais se saiba do tema e dos sujeitos que serão entrevistados. Mas o guia, mesmo nos casos de máximo nível de detalhe possível, não inclui todas as questões que provavelmente irão surgir durante a entrevista e nem prescreve uma ordem determinada para abordá-las. A riqueza da entrevista consiste, como situação de interação social, no acesso a determinadas informações para as quais não se contava com um instrumento prévio completamente articulado. Se houver, deixa de ser uma entrevista em profundidade e passa a ser uma enquete. Nesse caso, então, nos encontramos com uma combinação variável de decisões que são ato no projeto e outras que são apenas potência e que se tornam ato ao se realizar a entrevista.

As decisões de seleção (pessoas, povos, espaços, momentos, documentos etc.), de coleta (por quais meios irá se obter a informação necessária para os fins da investigação?) e de análise (quais técnicas e ferramentas serão empregadas para ordenar, resumir, dar sentido à informação coletada?) dependem do problema que se aborda. Portanto, antes de mais nada, os projetos de pesquisa incluem questões relativas à delimitação do problema de interesse que — como tem sido sugerido — condicionará o resto das decisões, especialmente na medida em que todas elas deverão ser instrumentais para a realização dos objetivos cognitivos que o problema colocado envolve.

Em geral, as investigações chamadas quantitativas requerem projetos mais estruturados: por suas características e por sua natureza — tal como vimos nos exemplos —, exigem contar de antemão não apenas com uma reflexão genérica sobre o que se necessitará saber, do ponto de vista técnico-metodológico, mas também com instrumentos concretos sem os quais o trabalho observacional de campo não resultará possível. De fato, no momento de coleta de informação já se deve contar com uma equipe de trabalho treinada, com uma amostra, com um questionário estruturado e padronizado, tudo isso resultado de um planejamento meticuloso. De um ponto de vista técnico, então, esse projeto mais estruturado não apenas é possível como também necessário quando se pensa em um estudo em que se podem "isolar" analítica e operativamente os distintos aspectos do processo de pesquisa, e se consegue inclusive dividir o trabalho vinculando cada uma das tarefas com pessoas e grupos relativamente independentes. Por exemplo, parte do trabalho — a coleta de informações — é realizada em geral por um grupo de pessoas que não participou ativamente no planejamento do questionário e que tampouco se envolverá na análise estatística dos resultados.

As pesquisas comumente chamadas qualitativas, por outro lado, se prestam habitualmente a projetos mais flexíveis: há questões que podem ser definidas de antemão, mas há muitas outras que não podem ser resolvidas com antecipação e que deverão ser decididas ao longo do processo de investigação e em função da aproximação aos objetos ou sujeitos de interesse. Isso acontece porque há processos, detalhes, dimensões fundamentais para a investigação que apenas podem ser descobertos enquanto se observa diretamente os sujeitos em seus espaços cotidianos, ou quando se trava um diálogo com eles. Nesses casos será exigido um mínimo de decisões prévias do projeto que orientem o estudo (e que muito fundamentalmente, entre outras coisas, justifiquem as opções por esse tipo de percurso investigativo), mas também haverá outros tipos de decisões que se devem tomar enquanto se desenvolve a pesquisa, inclusive atendendo a processos recursivos. Maxwell (1996) propôs nesse sentido o conceito de "projeto interativo": um modelo holístico e reflexivo de pesquisa em que suas diferentes instâncias se relacionam e se afetam mutuamente sem seguir uma lógica sequencial. De fato, nessas investigações não é fácil separar os diferentes aspectos do processo: seleção, coleta e análise, ao menos em alguns sentidos ou aspectos, geralmente possuem uma relativa simultaneidade. Tampouco é habitual operar uma nítida divisão do trabalho: é a mesma equipe, ou inclusive o pesquisador sozinho, quem projeta e executa, seleciona, coleta, analisa e escreve.

Como foi indicado, a primeira e fundamental questão em um projeto de investigação — que vai orientar e condicionar o restante das decisões — é a delimitação de um "problema de pesquisa": o que exatamente se deseja conhecer e, portanto, investigar? Valles (1997:83) indica que a formulação do problema é "um processo de elaboração que vai desde a ideia (própria ou alheia) inicial de pesquisar sobre algo até a transformação da dita ideia em um *problema pesquisável*". Essas ideias iniciais podem ser concebidas como "temas de pesquisa" — muito mais gerais do que os problemas, e não diretamente abordáveis — que se relacionam com determinados "recortes" da realidade próprios da estrutura e do estado de desenvolvimento da disciplina científica dentro da qual se inscreve o pesquisador, e/ou do que habitualmente se conhece como "agente de pesquisa" (questões reconhecidas como prioritárias em um lugar e momento específicos).

Geralmente são identificadas como fontes de temas (e consequentemente de problemas de pesquisa) as sugestões de professores e pesquisadores experientes, as convocatórias institucionais para acessar bolsas ou financiar projetos, a leitura de literatura científica e a experiência pessoal (Valles, 1997). A escolha de um tema é, portanto, uma eleição condicionada. Em um sentido geral, é possível afirmar que todo processo de pesquisa se dá no quadro de um contexto — cultural, social, político, econômico e institucional — que configura as condições históricas que o tornam possível (Samaja, 2002b). Em um sentido mais específico, e por mais independentes que pretendemos ser na escolha de um tema, esse processo está influenciado pela tradição da disciplina em que o projeto se inscreve,[5] pela "bibliografia acadêmica", pelo modo e as características que a socialização do pesquisador obteve (que perspectivas, leitura, autores, conceitos etc. são familiares a ele e modelaram sua forma de entender a realidade), e por outros aspectos mais mundanos, mas não menos decisivos, como o financiamento seletivo dado por organismos de gestão da atividade científica, junto aos termos de referência que a concessão de tal financiamento envolve.

Pois bem, esses grandes temas de interesse de uma disciplina em um momento determinado — como já se indicou — não são diretamente pesquisáveis, entre outras coisas por seu grau de abstração, complexida-

---

[5] Referimo-nos às tradições como resultado de construções sociais sedimentadas; trata-se em definitivo de formas de entender e abordar a realidade compartilhadas pela (por parte da) comunidade científica de uma disciplina em um momento e lugar determinados, e que marcarão os limites dentro dos quais é possível conceber um problema de pesquisa.

de e amplitude. No entanto, todo tema pode chegar a converter-se em um problema de pesquisa; ou seja, pode dar lugar a uma pergunta ou a um conjunto articulado de perguntas específicas que se pode abordar e investigar de maneira empírica. Para isso será necessário identificar propriedades conceituais que, ao realizar a pesquisa, vão construir o foco da observação empírica e fixar limites temporais e especiais (escopo) em uma base a partir da qual serão analisadas as propriedades conceituais em questão e suas relações.

Um problema, então, é sempre definido e construído a partir de um tema mais amplo. Essa definição implica fundamentalmente um movimento progressivo do abstrato e geral do tema em direção ao concreto e específico. Mas o problema de pesquisa não surge espontaneamente, de um momento para outro. O processo de construção, de outro modo, pode ser extremamente complexo e não linear, e implica colocar em cena tanto os saberes tácitos como a experiência; não existe uma técnica — no sentido de Gallino (1978), ou seja, um conjunto de procedimentos formalizados e impessoais, de uso recorrente — para a formulação de problemas de pesquisa. Metaforicamente, se poderia pensar essa questão como um caminho em espiral descendente em que os anéis da espiral se fazem cada vez menores, representando desse modo a maior focalização gradual que outros assuntos de interesse vão adquirindo, até chegar a um núcleo que constitui o problema de pesquisa.[6]

Isso é possível a partir de um conjunto de práticas que são conhecidas como "indagações preliminares". Essa expressão muitas vezes faz referência às leituras mais gerais que permitem ir conquistando familiaridade com um tema; mas também se poderia pensar em outras moda-

---

[6] Sobre a base destas considerações é possível afirmar que a quantidade de problemas que se pode apresentar no quadro de um mesmo tema é enorme, e provavelmente cada um deles exigirá para sua resolução distintas estratégias metodológicas e ferramentas técnicas. Nota-se que pequenas mudanças nos termos que se usam nesta delimitação derivam em problemas de pesquisa completamente diferentes. Por exemplo: pesquisar as "estratégias didáticas que desenvolvem os professores primários nas escolas rurais do estado de Pernambuco para o ensino de língua" não é o mesmo que pesquisar as "estratégias didáticas que desenvolvem os professores primários nas escolas privadas da capital do estado de Pernambuco para o ensino de língua". Em que consiste a diferença? Apesar da aparente semelhança, trata-se de atores e espaços geográficos diferentes, cuja variação se expressa por meio de palavras como "rurais", "privadas", "estado" e "capital", que fazem mudar completamente o foco e a direção da pesquisa.

lidades de indagação, como entrevistas com referências no assunto. No processo em espiral a que fizemos alusão, essas indagações preliminares, na medida em que se ganha conhecimento sobre uma questão, vão tornando possível identificar aspectos problemáticos e delinear perguntas específicas que aparecem como relativamente incertas e dignas de aprofundamento aos olhos do pesquisador. Mas as indagações em torno a isso não acabam; apenas agora, muito mais focalizadas, constituem o que se define como "estado da questão".

De fato, um dos primeiros desafios que deverá enfrentar o pesquisador, uma vez definido o problema, é a análise de seus antecedentes. Como dizíamos, não se trata já dessas indagações preliminares orientadoras, e sim de pesquisa mais específica relativa ao estado de conhecimento sobre o problema em questão; uma revisão da literatura específica diretamente relevante em função do problema levantado: já foram feitas investigações sobre esse problema? De que tipo? A que conclusões chegaram? Que instrumentos foram utilizados? Cabe assinalar que o estado da questão não se limita simplesmente a uma resenha sintética dessas pesquisas prévias; é recomendável, de resto, estabelecer um "diálogo" crítico com elas. Por outro lado, na hora de elaborar um estado da questão é muito importante manter o foco, evitando dispersar-se *ad infinitum* na revisão de questões antecedentes que só estão vinculadas de modo marginal com aquilo que se pesquisa. Os critérios para determinar a relevância de pesquisas antecedentes são fundamentalmente dois: afinidade temática e afinidade contextual (de escopo e de unidades). Quanto mais afim for o tema abordado e mais próximo o contexto de uma pesquisa prévia, é mais relevante como antecedente do problema em consideração.

A delimitação de um problema, por outro lado, envolve a formulação dos "objetivos" da pesquisa. Entre o problema e os objetos existe uma relação lógica de mútua implicação; apenas se os problemas se apresentam em forma de interrogação, os objetivos se expressam por meio de proposições. Elas contêm os mesmos conceitos teóricos fundamentais que dão sentido ao problema de pesquisa; mas por intermédio delas "o pesquisador postula [a] intenção, geralmente explicitada por meio de um verbo (analisar, explicar, compreender, descrever, explorar etc.), de abordar um setor da realidade em um espaço e tempo determinados" (Sautu et al., 2005:36). Deve ficar claro, portanto, que nos referimos primordialmente a objetivos cognitivos, ou seja, àqueles orientados a acrescentar conhecimento sobre um determinado fenômeno. Eles não devem se confundir com os objetos ligados à intervenção ou resolução prática de um problema social; assim como um problema de conhecimento ou pesquisa — por acaso um problema sociológico — tampouco deve se confundir com um problema social que bem pode haver sido seu detonador ou ponto de inspiração. Os objetivos da pesquisa habitualmente se classificam como gerais e específicos, sendo os últimos aqueles que derivam logicamente dos primeiros e cujo cumprimento contribui (ou é inclusive instrumental) para alcançá-los.

Para decidir a estratégia metodológica e escolher os instrumentos adequados aos objetivos será necessário penetrar no problema de pesquisa e analisar todas as suas consequências em termos de uma possível resposta empiricamente construída. Em algumas ocasiões uma tentativa de resposta existe antes ainda de estabelecer uma relação observacional (empírica) com os aspectos de interesse da realidade social. De certo ponto de vista, é possível afirmar que sempre existirá algum tipo de suposição — em sentido amplo — sobre aquilo que se investiga. As suposições são inerentes à apresentação das perguntas da pesquisa, pelo menos na medida em que estão implícitas nas definições e perspectivas teóricas a partir das quais a pesquisa se constrói. No entanto, essas suposições nem sempre adquirem um grau de articulação tal a ponto de se apresentarem como "hipótese", ou seja, como conjecturas que postulam certo tipo de relação entre os aspectos observáveis que o problema da pesquisa delimitou. Contra a ideia mais amplamente difundida, Singleton e colaboradores (1988/1993:88-89) afirmam que as hipóteses, entendidas em sentido estrito, bem podem ser o resultado de uma investigação mais do que seu detonador inicial. Em outras ocasiões, elas não se fazem explícitas desde o começo e igualmente guiam, de maneira tácita, todas as atividades de pesquisa. Apesar disso, quando o objetivo do estudo implica o contraste entre hipóteses, elas deverão ser precisamente formuladas, especulando sobre a natureza e a forma de uma relação. Os autores citados sustentam que os modos mais comuns em que aparecem as hipóteses no trabalho científico são quatro: a) declarações condicionais (por exemplo: se se dá o fenômeno y se dará também o fenômeno *x*); b) funções matemáticas, que representam a expressão mais parcimoniosa — e com forte caráter profético — de uma relação; c) declarações contínuas (por exemplo: quanto maior seja *x* maior será *y*); e d) declarações diferenciais, que afirmam que uma variável difere em termos das categorias de outra variável. Independentemente do grau de formalização da hipótese, concordamos com Maxwell (1996) em dar ao problema o lugar central e a direção da pesquisa: podemos não ter respostas prévias claras sobre o fenômeno em estudo, mas não podemos não contar com perguntas que orientam sua abordagem e façam possível sua delimitação.

Para tornar operacional um problema de pesquisa, podemos comparar ao interesse do pesquisador por conhecer "algo" de "alguém". Esse "algo" (o "quê") que se quer conhecer pode ser expressado por propriedades conceituais (e suas relações) cristalizadas verbalmente nas perguntas que guiam a investigação. De outra parte, esse "algo" se refere sempre a um "alguém",[7] um "quem" que está temporal e espacialmente situado, e que tecnicamente — como definição abstrata — se denomina "unidade de análise", ao menos na metodologia tradicional.

No que diz respeito ao "algo" de interesse, deveremos começar por sua contextualização. Trata-se de dar definições precisas do que se entende, no contexto da pesquisa, por aqueles termos-chave que expressam verbalmente o foco da nossa atenção, definições que em seu conjunto conformarão um "quadro conceitual". O estado da questão — a que se fez menção anteriormente — poderá constituir-se em fonte de referência para tais definições, permitindo identificar perspectivas teóricas empregadas em trabalhos anteriores e ajudando a definir os termos-chave com relação a seus usos prévios na disciplina. Mas é importante não confundir o estado da questão com o que tradicionalmente se denomina "quadro teórico", ou seja, o *corpus* de conceitos de diferentes níveis de abstração articulados entre si que orientam a forma de apreender a realidade" (Sautu et al., 2005:34), e que em nível mais concreto inclui o quadro conceitual.

---

[7] Dizemos "alguém" para nos referir às unidades de interesse, mas elas não têm de ser necessariamente pessoas; poderiam ser instituições, famílias, povos, nações, produtos de cultura etc.

Geralmente, as definições conceituais são muito abstratas e se deverá, então especialmente no caso de pesquisas de tipo quantitativo, selecionar, por meio de um processo de operacionalização, os indicadores ou referentes empíricos desse "algo" que agora já representamos com definições conceituais precisas (Lazsarsfeld, 1973). Em outras palavras, devemos levar ao plano do observável esse "algo" abstrato, e logo escolher as ferramentas adequadas para observá-lo. Essas operações se inserem naquele conjunto de decisões que denominamos de "coleta". No caso das pesquisas qualitativas, o trabalho de campo adquire uma centralidade muito maior, e não se pauta por processos de operacionalização estruturados e por instrumentos padronizados. Ainda assim, também nessas pesquisas o projeto exige pensar naquelas estratégias que, na base do trabalho de campo, tornarão possível a produção de informações relevantes aos fins da pesquisa.

Mas também se deverá operacionalizar aquele "alguém" de interesse que mencionamos anteriormente. Novamente nesse ponto aparecem diferenças importantes em relação aos critérios e aos instrumentos que tornam possível a pesquisa segundo o tipo em pauta. Nas pesquisas quantitativas será fundamental, em primeiro lugar, uma clara e precisa definição conceitual da unidade de análise. Na prática isso implica decidir critérios de inclusão e exclusão — categoriais, temporais e espaciais —, já que toda unidade pode ser concebida como espécie de um gênero que a contém. Por exemplo, se estamos pesquisando sobre adolescentes, uma definição da unidade de análise poderia determinar, entre outras coisas, os limites da idade cronológica mínima e máxima para que um sujeito seja considerado adolescente no quadro da pesquisa, e isso dependerá, obviamente, de opções teóricas que serão adotadas com respeito à adolescência. Mas os critérios — como acabamos de dizer — também incluirão questões temporais e espaciais: nos interessa saber algo sobre o adolescente que habita qual espaço geográfico? E em que período de tempo? Esse sistema de critérios categoriais, espaciais e temporais também permitirá identificar a população, ou seja, o conjunto de todos os casos concretos que se correspondam com a definição conceitual que foi dada da unidade de análise, e que constituirá a base de referência para as generalizações que o estudo procura estabelecer. Na maioria das situações, a população de interesse extrapola os limites em relação aos recursos disponíveis para a pesquisa. Essa limitação exigirá que se selecione algum (ou alguns) de seus membros para os fins de observação e indagação. Portanto, parte do projeto de pesquisa consistirá na construção de uma amostra, que nesses casos seguirá a lógica da probabilidade. Embora essa não seja a única operação de seleção presente em uma pesquisa, é sem dúvida uma das mais cruciais, e se insere na base do que temos chamado genericamente "decisões de seleção". Cabe lembrar, como já antecipamos, que esses critérios de seleção não são "universais", e retomamos esse ponto para enfatizar que nas pesquisas qualitativas essas questões não se resolvem apelando para amostras de probabilidade, e sim que existem estratégias específicas dentro do leque de opções metodológicas reconhecidas, tais como as amostras intencionais e bola de neve, entre outras.

Voltando às investigações quantitativas, apenas quando todas estas decisões descritas tenham sido resolvidas será possível realizar o trabalho de campo, que nesse caso poderia se limitar, por exemplo, à aplicação de um questionário padronizado para a amostra selecionada. Mas é oportuno lembrar que o pré-requisito de que todas essas decisões sejam ato na instância do projeto se dá apenas em alguns tipos de investigação. Em muitas outras ocasiões, o trabalho de campo não depende de que todas as decisões de coleta e seleção tenham sido tomadas com antecedência e sim que, pelo contrário, é o desenvolvimento de tal trabalho, com uma centralidade decisiva, o que torna possível que muitas delas se completem e adquiram sua forma definitiva. Mas, em todo caso, essa diferença entre estilos de pesquisa no que concerne ao trabalho de campo não afeta o fato de que os resultados das práticas de coleta de informação — que será obviamente informação relevante sobre os "alguéns" e com respeito ao "algo" de interesse — deverão ser processados, ordenados, sistematizados e analisados. Essas operações constituem o núcleo do que temos chamado "decisões de análise", e tornarão possíveis estratégias de escrita e comunicação dos resultados de pesquisa e do processo de pesquisa mesmo.

À guisa de conclusão, queremos retomar os argumentos apresentados no parágrafo inicial deste capítulo para analisá-los sob uma nova luz. Sustentamos que toda pesquisa pode ser entendida estruturalmente a partir de núcleos problemáticos inter-relacionados que permitem fazê-la inteligível, ordenando analiticamente todo o complexo das tramas de decisões e práticas que se colocam em jogo no processo de pesquisa. Apesar disso, nos parece importante ressaltar que o processo complexo excede os recursos instrumentais ou técnicos que nos oferece a metodologia das ciências sociais. Insistimos sobre isso porque em não poucas ocasiões o desejo de mostrar a atividade científica como algo totalmente controlado e controlável reduziu as decisões e ações implicadas no processo de conhecimento (muitas vezes baseadas em saberes pessoais e tácitos) a uma mera questão técnica — impessoal, objetiva — de produção e análise de dados.

Contudo, que o processo de pesquisa esteja atravessado por conhecimentos pessoais e tácitos (não explicitados e dificilmente explicitáveis) não significa que seja completamente caótico, desordenado e imprevisível. Pelo contrário, esse processo pode ser planejado. Nesse sentido, procuramos demonstrar que não se pode levar adiante a investigação sem algum grau de planejamento, entendido como antecipação de um modelo de decisões e práticas de pesquisar. Mas o projeto tem limitações que são evidentes quando se reduz exclusivamente ao conjunto de decisões teóricas e metodológicas da pesquisa. Na medida em que a ciência é uma prática institucionalizada, para que um plano de pesquisa seja operativo será necessário materializar-se em um projeto, e então deverá também ter em conta os quadros institucionais nos quais se desenvolve, com suas regulações, esquemas de financiamento, instância de gestão, controle e avaliação etc., assim como a dimensão temporal das atividades (cronograma) e as relações de precedência e simultaneidade entre elas.

Para finalizar, nos parece oportuno assinalar dois riscos — que de outro ponto de vista podem ser concebidos como desafios — relacionados com os modos de resolver as complexas relações entre projeto e prática no processo de pesquisa. Por um lado, ao postergar indefinidamente as práticas de pesquisa até que se alcance a formalização de um projeto acabado sem considerar que tal projeto é por definição irrealizável, podemos, então, perder a oportunidade de que, a partir de uma postura flexível, as mesmas práticas contribuam inclusive para dar forma, ao menos em alguns casos, aos objetos de indagação que construímos. Por outro lado, o risco oposto, ou seja, o de antecipar excessivamente as práticas de campo, desconhecendo o grau em que elas são orientadas pela teoria e a importância de encontrá-las depois de um cuidadoso planejamento, perdendo de vista as formas em que a reflexão metodológica pode contribuir para levá-las a cabo com um maior nível de controle intelectual. Em definitivo, a tensão entre epistemologia e técnica se faz novamente presente, e voltamos a recordar a importância da metodologia como um saber ao mesmo tempo teórico, prático e reflexivo que contribui para resolver, em cada instância de pesquisa concreta, a brecha entre os fundamentos mais abstratos do conhecimento social e as técnicas instrumentais que colocamos em jogo ao produzi-lo e validá-lo.

Referências

BRUSCHI, Alessandro. Logica e metodologia. *Sociologia e ricerca sociale*, v. 41, p. 30-55, 1991.

GALLINO, Luciano. *Dizionario di sociologia*. Torino: Utet, 1978. [*Dicionário de Sociologia*. São Paulo: Paulus, 2005]

GUBER, Rosana. Introducción. In: GUBER, R. (Comp.). *Prácticas etnográficas*. Ejercicios de reflexividad de antropólogas de campo. Buenos Aires: Miño y Dávila, 2014.

HIDALGO, Cecilia. Reflexividades. *Cuadernos de Antropología Social*, n. 23, 2006. Disponível em: <www.scielo.org.ar/scielo.php?script=sci_arttext&pid=S1850-275X2006000100004&lng=es&nrm=iso>. Acesso em: 15 ago. 2014.

KAPLAN, Abraham. *The conduct of inquiry*. San Francisco: Chandler, 1964. [*A conduta da pesquisa*. São Paulo: Edusp, 1972].

LAZARSFELD, Paul. De los conceptos a los índices empíricos. In: BOUDON, R.; LAZARSFELD, P. *Metodología de las ciencias sociales*. Barcelona: Laia, p. 35-42, 1972. v. I.

LYNCH, Michael. Against reflexivity as an academic virtue and source of privileged knowledge. *Theory, Culture & Society*, v. 17, p. 26-54, 2000.

MARRADI, Alberto. Método como arte. *Papers*, v. 67, p. 107-127, 2002.

MARRADI, Alberto; ARCHENTI, Nélida; PIOVANI, Juan Ignacio. *Metodología de las ciencias sociales*. Buenos Aires: Emecé, 2007.

MAXWELL, Joseph. *Qualitative research design*. An interactive approach. Thousand Oaks: Sage, 1996.

OUTHWAITE, William. *New philosophies of social science*: realism, hermeneutics and critical theory. Londres: Macmillan, 1987.

PIOVANI, Juan Ignacio. Idee di scienza nella comunità accademica inglese. *Sociologia e Ricerca Sociale*, v. 23, n. 67, p. 91-116, 2002.

POLANYI, Michael. *Personal knowledge*. Towards post-critical philosophy. Londres: Routledge & Kegan Paul, 1958.

POLANYI, Michael. *The tacit dimension*. Chicago: University of Chicago Press, 1966.

SAMAJA, Juan. Análisis del proceso de investigación. In: DEI, H. Daniel (Ed.), *Pensar y hacer en investigación*. Buenos Aires: Docencia, p. 199-235, 2002a.

SAMAJA, Juan. Concepto, método y sentido de la investigación científica. In: DEI, H. Daniel (Ed.). *Pensar y hacer en investigación*. Buenos Aires: Docencia, 2002b.

SAUTU, Ruth et al. *Manual de metodología*. Buenos Aires: Clacso, 2005.

SINGLETON, Royce A. Jr. et al. *Approaches to social research*. Nova York: Oxford University Press, 1988. [citações da segunda edição, 1993]

VALLES, Miguel S. *Técnicas cualitativas de investigación social*. Reflexión metodológica y práctica profesional. Madri: Síntesis, 1997.

CAPÍTULO 6

Pesquisa recente sobre pensamento social no Brasil: notas sobre perfis de pós-graduandos e investigações em andamento

Cláudio Costa Pinheiro

EM AGOSTO de 2011, realizamos a primeira edição do Ateliê do Pensamento Social, iniciativa do Laboratório do Pensamento Social (Lapes) da Escola de Ciências Sociais da Fundação Getulio Vargas. O evento era aberto a interessados na temática do pensamento social, mas incluía uma *oficina acadêmica*, direcionada para pós-graduandos (particularmente doutorandos) das áreas de ciências sociais, história, literatura, economia e afins. O privilégio sempre foi aquele da experimentação, do diálogo aberto e uma reflexão sobre teoria e metodologia a partir da prática — práticas de pesquisa e práticas de escrita. O tema central do Ateliê emulava a agenda do Lapes, priorizando a temática da teoria social e do pensamento social, traduzidos em investigações sobre história intelectual, pesquisas com periódicos, trajetórias de intelectuais, manuscritos, circulação de ideias e teorias, publicações, trajetórias disciplinares, entre outros.

Na primeira edição, em 2011, o Ateliê estava essencialmente direcionado para a agenda brasileira. As conferências exploravam definições, temáticas e textos clássicos do pensamento social brasileiro e observavam trajetórias, fontes, arquivos e questões de pesquisa sobre histórias intelectuais locais. O tema daquele ano foi "Pensamento social brasileiro: agendas e questões de pesquisa".

A partir 2012, o Ateliê ganhou maior amplitude, graças a nossos esforços por angariar recursos de financiamento para o evento (conseguidos junto à Faperj, em 2012, e junto à FGV, em 2012-13-14). Passamos a custear o translado e estadia de alguns dos pós-graduandos, a investir na "internacionalização" do evento — com a vinda de palestrantes estrangeiros — e, finalmente, a publicar coletâneas com os textos das conferências. Desde aquele ano, o evento passou a ter um tema geral — "Ideias, textos e conceitos: novas perspectivas comparativas" — e temáticas anuais: em 2012, "Abordagens transnacionais: ideias em perspectiva global" (organizado por João Maia); em 2013, "Textos literários: das fontes de pesquisa aos métodos de leitura" (organizado por Bernardo Buarque); em 2014, "Práticas e textualidades: pensando a pesquisa e a publicação" (organizado por Cláudio Pinheiro). A rigor, as edições eram debatidas e organizadas coletivamente, e capitaneadas por um responsável a cada ano. Já as temáticas serviam, objetivamente, para orientar nossos debates em torno da seleção dos palestrantes e suas conferências, e nunca restringiram os temas dos trabalhos submetidos pelos pós-graduandos.

Desde a primeira edição, estruturamos o evento a partir de dois blocos complementares: um seminário e uma oficina. O primeiro bloco, aberto ao público, ficou consagrado à apresentação de conferências de pesquisadores brasileiros e estrangeiros, sobre questões de método e da prática da pesquisa, tomados, na maior parte das vezes, a partir de seus próprios trabalhos.

Embora tivessem a forma de um seminário, essas conferências priorizavam uma reflexão sobre questões-chave do debate a respeito da agenda do pensamento social, a partir de experiências concretas de investigações desses professores e pesquisadores. Assim, tinham uma pretensão de arqueologia que decifrava estratégias, truques e regras da investigação, a partir das agruras e equívocos de pesquisa realizados por pesquisadores já institucionalizados. Ganhamos todos, público e organizadores, ao aprender segredos e bastidores de pesquisas de alguns dos mais importantes intelectuais que lidam com sociologia e história do pensamento social em diferentes contextos intelectuais e políticos.

Ao longo desses quatro anos, tivemos a satisfação de receber 20 palestrantes, brasileiros e estrangeiros, o que nos ofereceu um amplo panorama de temáticas, abordagens, metodologias e, especialmente, diferentes tradições nacionais e regionais de pesquisa com temas ligados a Teoria e Pensamento Social. Em 2011 tivemos Lucia Lippi (ESC/FGV), André Botelho (UFRJ), Ricardo Benzaquen (PUC-RJ), Ângela Alonso (USP) e Nísia Lima (Fiocruz); em 2012, Sujata Patel (U. Hyderabad/Índia), Elias Palti (U. Quilmes/Argentina), Mauricio Tenório (U. Chicago/EUA), Lilia Schwarcz (USP), Cherry Schreker (U. Nancy/França); em 2013, Roger Chartier (College de France), Marco Antônio de Moraes

(IEB/USP), Berthold Zilly (Freie U./Alemanha), Bruno Gomide (USP), Cláudio Pinheiro (Sephis); em 2014, Sari Hanafi (U. Americana de Beirut/Líbano); Juan Piovani (U. La Plata/Argentina), Mário Augusto Medeiros (Unicamp), Eloísa Martín (UFRJ) e Wander Melo (UFMG). O público médio das palestras foi alto, cerca de 70 a 80 pessoas por ano, composto por colegas professores e pesquisadores de outras instituições, além de pós-graduandos e graduandos.

Panorama contemporâneo da pesquisa com pensamento social

A segunda parte do evento acomodava uma oficina destinada à leitura e discussão dos projetos de mestrado e doutorado previamente selecionados. Esse formato se manteve ao longo dos anos, com variação dos leitores-comentadores. Os trabalhos inscritos e selecionados eram divididos em grupos de acordo com afinidades temáticas. A partir daí e com antecedência, circulavam entre os próprios pós-graduandos. Durante o evento, eram debatidos coletivamente, seguindo uma análise animada pelo cruzamento de questões idiossincráticas de cada trabalho, de problemas comuns a alguns deles e em contraste com questões que orientam os debates do campo. Tivemos como debatedores, em 2011: Helena Bomeny, Bernardo Buarque, Cláudio Pinheiro e João Maia; em 2012: Bernardo Ricúpero (USP), Antonio Brasil (UFF), Bernardo Buarque, Cláudio Pinheiro e João Maia; em 2013: Antônio Herculano (FCRB), Leopoldo Waizbort (USP), Valter Sinder (PUC/Uerj) e João Cezar de Castro Rocha (Uerj); e, em 2014, Wander Melo (UFMG), Mário Augusto Medeiros (Unicamp), Cláudio Pinheiro (Sephis), Juan Piovani (U. de la Plata), Eloisa Martin (UFRJ) e João Maia.

Ao longo desses quatro anos, e sem que isso fosse nossa pretensão desde o início, circulou pelo Ateliê uma amostra bastante significativa do quadro nacional de pós-graduandos que desenvolviam os trabalhos mais recentes (e alguns dos mais interessantes) nas temáticas do pensamento social. Isso não apenas nos forneceu um mapa amplo de que temas e abordagens têm sido mais visitados, mas nos ajudou a acompanhar os dilemas mais corriqueiros das atividades de pesquisa, a flutuação de tópicos dentro da temática (e mesmo sobre como determinados objetos emergem enquanto outros minguam por desinteresse), sobre estilos de orientação e prioridades institucionais de diferentes programas de pós-graduação (e como determinados programas ganharam relevância nessa área), até mesmo problemas inerentes à formação de novos intelectuais em ciências sociais. É certo que nossa mostra é parcial e dependente de um universo de pessoas que se inscreveram voluntariamente no evento. Mesmo assim, os dados coligidos nesses quatro anos de experiência nos oferecem um material representativo para um pequeno *survey* examinando perfis profissionais e de pesquisa na área do pensamento social no Brasil. De acordo, minha pretensão aqui não é de um artigo analítico, cotejado com a literatura da área, mas de observações pontuais que reajam à forma como os dados se ofereceram dispostos.

Entre 2011 e 2014, tivemos mais de 100 trabalhos apresentados por quase 90 participantes de diversas instituições nacionais. Autoras e autores compuseram uma distribuição de gênero bastante equilibrada, de quase meio a meio. A média anual foi de 25 trabalhos apresentados (26 em 2011, 17 em 2012, 34 em 2013 e 26 em 2014) por pós-graduandos em diferentes estágios da carreira. O evento esteve comprometido por valorizar o debate sobre a prática da pesquisa de investigações em andamento, realizadas por profissionais em processo de formação. Assim, sempre teve a marca do transitório, do experimento e do debate que mais inspirava do que resolvia, mais indicava do que prescrevia, caminhos para investigações e carreiras *on the road*. Entre aqueles que submeteram trabalhos para a oficina, a grande maioria da frequência foi de mestrandos e, principalmente, doutorandos, que totalizaram 95% dos participantes.

Ateliê do Pensamento Social (2011-14)
Divisão anual e formação dos autores de trabalhos debatidos na oficina

Formação	2011	2012	2013	2014	Total	%
Doutor(a)		1			1	1%
Doutorando(a)	16	12	23	18	69	67%
Mestrando(a)	9	2	11	7	29	28%
Mestre	1	2			3	3%
Pós-Doutorando(a)				1	1	1%
Total	26	17	34	26	103	

Fonte: A organização dos dados é do autor.

Os trabalhos recebidos correspondiam a projetos de pesquisa, textos de qualificação ou capítulos de tese, sugerindo trabalhos e intelectuais em diferentes momentos de maturação. O formato de *oficina*, com diálogo aberto sobre os trabalhos, visava contribuir para uma fase da formação de profissional que está, mormente, confinada a um diálogo quase restrito entre aluno(a) e orientador(a). Ficamos surpresos ao notar que essa atmosfera positiva criou certa comunidade de interessados pelo tema e por espaços de interlocução livre na temática do evento. Isso se revelou na reincidência de alguns pós-graduandos, que frequentaram o evento em diferentes anos, apresentando distintas partes de seus trabalhos em andamento. Um a cada quatro dos mestrandos e doutorandos que estiveram no Ateliê regressou mais de uma vez, uns poucos vieram três vezes e houve até quem estivesse presente, com trabalhos inéditos ou como ouvinte, em todas as quatro edições do evento.

Boa parte desses alunos originava-se da região Sudeste (quase 90%), sendo dois terços do estado do Rio de Janeiro e um terço de São Paulo. Os demais vinham de universidades do Rio Grande do Sul, Santa Catarina, Paraná e Pará. O esforço que realizamos em prol da internacionalização do evento reproduziu, em certo sentido, a estrutura de desigualdades que caracteriza as academias periféricas. Tivemos muita facilidade em trazer palestrantes estrangeiros (devidamente socializados pela tradução simultânea), mas essa diversidade, infelizmente, não se reproduziu entre os pós-graduandos. Apenas três trabalhos foram apresentados por doutorandos de universidades estrangeiras, sendo duas contribuições de argentinos (do Instituto de Desarollo Económico y Social, Universidad Nacional de General Sarmiento, Argentina) e uma de um doutorando brasileiro da Northwestern University, em Illinois (EUA). O maior impedimento foi nunca chegarmos a um consenso a respeito da realização do evento totalmente em espanhol ou inglês. Alguns colegas insistiam que a suposta falta de domínio de línguas estrangeiras por pós-graduandos brasileiros desestimularia sua participação e esvaziaria o evento, caso tivéssemos uma língua estrangeira como oficial. Por isso nunca circulamos o edital do seminário no exterior, mesmo dispondo de recursos financeiros suficientes para custear a vinda de alguns estudantes estrangeiros.

Podemos supor que, graças à presença de palestrantes do Sul Global, alguns dos pós-graduandos que frequentaram o Ateliê se tornaram profissionais sensíveis a uma reflexão das idiossincrasias e dos constrangimentos da produção de conhecimento nas periferias — limitações na circulação de trabalhos e teorias, características e práticas da escrita, dependência acadêmica etc., tópicos bastante debatidos no evento. Por outro lado, é provável que sejam menos capazes de estabelecer redes de colaboração com colegas de outros contextos periféricos, igualmente sensíveis a esses temas, mas sobre os quais não terão conhecimento. Pode parecer uma questão menos relevante, mas reforça rotinas de produção, circulação e ensino que ajudam a consolidar as periferias acadêmicas como arquipélagos incomunicáveis, ainda que falando os mesmos idiomas e submetidos a regimes semelhantes de produção de conhecimento.

Autores e textos vinham de 32 diferentes instituições, com uma distribuição que se orientava em dois grupos: cerca de 70% eram provenientes de instituições consolidadas e com uma tradição na área do pensamento social (como Iesp, Unicamp, Unesp, UFSCar, além da própria ESC/FGV), enquanto cerca de 30% vinham de programas de pós-graduação de áreas como administração, arquitetura ou políticas públicas, além, claro, de outros programas de pós-graduação de ciências sociais com menor visibilidade no campo do pensamento social. Enquanto dois terços dos pós-graduandos vieram de 10 instituições, outro terço veio de 22 instituições (que contribuíram com um a três estudantes), algumas das quais com programas recentes que começam a firmar-se no cenário nacional.

Claro que, por um lado, os programas de pós-graduação ensejam uma competição por visibilidade institucional em um mercado que disputa recursos de financiamento à pesquisa e, também, por melhores candidatos de mestrado e doutorado. Evidente também que há um cálculo ou, no melhor dos casos, uma expectativa de orientadores e de programas de que bons candidatos realizem bons trabalhos e publiquem os resultados dessas pesquisas, projetando suas instituições. Em um tempo atual no qual algumas instituições e agências de fomento priorizam as publicações como finalidade ulterior da vida intelectual, essa fórmula ganha substância e adeptos. O artigo de Eloísa Martín nessa coletânea ajuda a divisar essa cena e compreender um pouco melhor como vêm sendo estabelecidas as prioridades dos sociólogos brasileiros em relação a essa questão.

Ateliê do Pensamento Social (2011-14)
Principais instituições de origem dos pós-graduandos

Instituições	2011	2012	2013	2014	Total
PPHPBC/FGV	6	2	4	2	14
Iesp/Uerj	5	4	1	2	12
PPGHIS/UFRJ	2		5	1	8
PPGS/Unicamp		1	3	4	8
PPGCS/Unesp		2	1	4	7
PPGHCS/Fiocruz	2	1		2	5
PPGS/USP		1	3	1	5
Naea/UFPA	1	1	1	1	4
PPGPOL/UFSCar			3	1	4
PPGSA/UFRJ			3	1	4
PPHR/UFRRJ			2	1	3
PUC/RJ	2		1		3
Demais instituições de onde vieram 1 ou 2 estudantes	8	5	7	6	26
Total	26	17	34	26	103

Fonte: A organização dos dados é do autor.

A filiação institucional dos autores revelou, ademais, dados interessantes para outro nível de análise. A orientação temática e a área de concentração dos programas de pós-graduação de onde se originaram esses trabalhos ofereceram dados significativos na maneira como esses projetos incorporavam ou negligenciaram determinadas questões metodológicas e teóricas da prática de pesquisa. Os(As) autores(as) vinham de mais de 30 programas, agrupados em cerca de 10 áreas temáticas. Áreas como história (incluindo história comparada, história política, história e patrimônio, história social e história social da cultura) e ciências sociais (englobando particularmente sociologia e ciência política) responderam por 85% dos trabalhos submetidos, em contraste com letras e literatura ou antropologia, cuja presença foi bastante tímida ao longo desses quatro anos. É certo que isso não significa que essas áreas não estejam produzindo investigações sobre história sociológica de suas disciplinas ou reflexões sobre contribuições teóricas ao *corpus* disciplinar. No melhor dos casos, significa que fomos ineficientes em fazer circular o edital do evento e em atrair pós-graduandos dessas áreas para o Ateliê, e que, no mais dos casos, circulamos os convites entre nossas próprias redes de diálogo.

Ateliê do Pensamento Social (2011-14)
Áreas temáticas das instituições de origem dos pós-graduandos

Áreas dos programas de pós-graduação	2011	2012	2013	2014	Total
Administração	2				2
América Latina Contemporânea		1			1
Antropologia Social			1		1
Arquitetura	1				1
Ciência Política	5	4	4	5	18
Ciências Sociais	1	3	2	4	10
Estudos Amazônicos	1	1	1	1	4
História		1	3	2	6
História Comparada		1			1
História das Ciências e Saúde	2	1		2	5
História e Patrimônio	6	2	4	2	14
História Política	1				1
História Social	2		6	3	11
História Social da Cultura	1		1		2
Letras			3		3
Literatura	1				1
Políticas Públicas	1				1
Sociologia	1	3	9	7	20
Sociologia Política	1				1
Total	26	17	34	26	103

Fonte: A organização dos dados é do autor.

Efetivamente, a ausência de pós-graduandos de antropologia ou de literatura reproduziu uma ausência de reflexões sobre antropologia e literatura nos quadros do Ateliê, e revelou outra questão curiosa. Em grande medida, ao menos entre pós-graduandos, sociólogos pesquisam sobre sociólogos (ou temas da sociologia), assim como historiadores historiam os historiadores e a historiografia e, finalmente, cientistas políticos refletem sobre quadros teóricos, categorias etc. da ciência política. Outrossim, referências bibliográficas sobre histórias disciplinares e de *corpus* teóricos raramente cruzavam fronteiras disciplinares, mesmo em se tratando de uma mesma arena temática. Ou seja, sociólogos em formação normalmente não conhecem contribuições da antropologia ou da história no tema do pensamento social — o inverso também era verdadeiro para historiadores incorporando contribuições da sociologia.

Ademais de enfatizarem compartimentalizações disciplinares e protagonizarem uma provocação mútua (que tem seu lado lúdico), esses campos, vale considerar, teriam muito a ganhar com um olhar cruzado sobre a trajetória da disciplina vizinha. Exemplos de experiências consagradas não faltam, como George Stocking se propôs para o caso de uma história da antropologia norte-americana e europeia, Syed Farid Alatas com os trabalhos sobre uma sociologia histórica dos escritos de Ibn Khaldhun, ou Peter Burke para o caso de Gilberto Freyre.

Assim, em termos gerais, esse universo de pós-graduandos que frequentou o Ateliê sugere que a pesquisa recente sobre pensamento social no Brasil reforça fronteiras disciplinares, cristaliza procedimentos e temas de investigação a partir de uma mirada bastante paroquial.

Este tipo de clivagem "bairrista" se revela novamente nos temas escolhidos e mais fortemente nas formas de abordagem. Foi bastante produtivo observar o quanto esses projetos estavam comprometidos com suas origens disciplinares e institucionais em outros dois níveis: nas tradições de agendas institucionais dos programas de pós-graduação aos quais estavam filiados e nas tradições de enredos de pesquisa e rotinas de ensino da área de conhecimento na qual estavam inseridos. Embora muitos autores lidassem com as mesmas temáticas e mesmas aproximações ao tema — trajetórias intelectuais de determinado autor e sua obra, por exemplo —, uma análise mais aprofundada dos projetos de investigação mostrou diferenças marcantes de abordagem, fosse esse(a) aluno(a) de história ou sociologia. É de se esperar, evidentemente, que a escolha de uma instituição implique a opção mais ou menos consciente por aderir a determinado arcabouço teórico e escolhas metodológicas.

Além disso, revela certo "ensaio sobre a cegueira" de campos disciplinares e instituições que se estruturam a partir de determinadas tradições de suas áreas de conhecimento.

Um exemplo contundente resta na forma como esses textos observam a relevância do *recorte cronológico, espacial* ou do *arcabouço teórico* na construção do argumento e do princípio heurístico de suas análises. Ou seja, em que medida "tempo" opera como variável explicativa e de que maneira o que se convencionou chamar de "teoria" comparece como princípio orientador do argumento explicativo.

Nem todos os textos deixavam claro o recorte cronológico sobre o qual incidiam suas investigações. Na realidade, uma leitura sistemática revela que mais de 60% desses trabalhos não explicitavam o contexto temporal sobre o qual se debruçavam. Em todos esses, a explicitação do recorte cronológico surge como um suposto inerente ao objeto escolhido (e, que, portanto, não precisa nem ser mencionado) ou como irrelevante (e, nesses casos, "tempo" não aparece nem mesmo como uma categoria pertinente em sua *démarche* explicativa). Um leitor atento deduz, por inferência e por certa criatividade imaginativa, indicativos dos recortes cronológicos a partir das cronologias de existência de seus objetos — a cronologia de vida de autores ou data de publicação das obras em análise, o tempo de existência de um determinado periódico etc. Assim, portanto, inferimos que um trabalho que pretende analisar o "conceito de democracia na obra de Fábio Wanderley Reis" possa estar referido à cronologia de vida desse intelectual e/ou a algumas de suas obras que incidem no tema democracia. Em casos como esse, "tempo" aparece como variável irrelevante, em outros dois níveis: a) nos termos de uma análise sociológica mais classicamente *bourdiana* (sobre as flutuações e a perenidade do conceito de democracia de Wanderley Reis e de seu lugar de enunciação dentro do campo da política — e, aí, como esse conceito opera como *tropo* da reflexão sociológica no campo) e b) nos termos de uma análise historiográfica flagrantemente preocupada com uma contextualização histórica do debate sobre democracia, conjugada com uma contextualização do autor (como fez E. P. Thompson no elegante trabalho sobre William Blake).

Sugerir que a ausência da variável *tempo* como princípio heurístico, nos termos acima, seja descuido de uma escrita e um olhar inexperientes de um profissional ainda em formação é minimizar o ponto. Os trabalhos apresentados no Ateliê foram aprovados por bancas de seleção, possuem orientadores e estão em pleno curso de realização, o que autoriza a pensar em diferentes rotinas disciplinares de reflexão sobre pensamento social. Importa, portanto, considerar que a grande maioria (90%) dos trabalhos que incidem nessa ausência do tempo originam-se de programas de pós-graduação em ciências sociais, ciência política, sociologia, letras, antropologia e áreas fora das ciências sociais. Essa circunstância afeta muito menos os trabalhos de história — cujos autores e textos aparecem mais cuidadosos na delimitação do recorte temporal que analisam e na consideração de como o contexto histórico comparece na explicação.

Esse tipo de circunstância é mais presente em trabalhos que se dedicam a trajetórias intelectuais e prosopografias, a análises de determinados aspectos da obra de intelectuais/escritores/artistas. Mesmo projetos que pretendem localizar determinados autores e suas obras no contexto onde viveram e atuaram, relacionando-os à rede de interlocutores com os quais interagiram, não reivindicam pertinência a explicitação do *tempo* como variável relevante.

Ademais disso, a grande maioria dos trabalhos está circunscrita ao século XX. Se incluirmos ainda aqueles que lidam com esse período, mas não o mencionam explicitamente (os "não mencionados" na tabela abaixo), isso representa cerca de 70% dos projetos.

Ateliê do Pensamento Social (2011-14)
Corte cronológico dos trabalhos apresentados

Corte cronológico	Projetos
Século XVI	1
Século XIX	11
Séculos XIX-XX	5
Século XX	50
Séculos XX-XXI	2
Século XXI	2
Não mencionado	32
Total	103

Fonte: A organização dos dados é do autor.

Embora tenhamos tido uma presença não desprezível de trabalhos que se interessam pelo século XIX e pela passagem do XIX para o XX, especialmente a Primeira República, surpreende a quase total ausência de trabalhos para períodos anteriores. Considerando que história intelectual, biografias de autores, exegese de publicações etc., são temas populares entre historiadores para períodos anteriores ao século XIX, parece relevante essa ausência de representatividade num evento como esse. Isso fala, mais uma vez, da forma como se convencionou compartimentalizar zonas de prioridade, conforto e exclusão de determinados campos e, também, a partir de que eixos se orienta o olhar sobre temáticas muito aproximadas. No caso da historiografia que debate objetos próximos ao que se convencionou chamar de "pensamento social" em ciências sociais, historiadores organizam seu olhar a partir de discussões sobre estética, retórica, hermenêutica, historiografia da história, prosopografias etc., o que contribui para uma dificuldade de homologia nos termos desse debate. Isso não é meramente uma questão de estrutura política do campo, que cria espaços de autonomia a partir do uso de vocabulários diferentes para tratar da mesma coisa, mas que diferentes vocabulários incidem sobre diferentes gramáticas da produção de conhecimento e formam profissionais capazes de ver determinadas questões e incapazes de enxergar outras.

Por outro lado, considerando a relevância do debate sobre "teoria" no interior desses textos, o quadro se inverte. Cerca de 75% dos textos de alunos de programas de história incorporam autores com pretensões teóricas de duas maneiras basicamente: a partir de estruturas canônicas de citação, inescapáveis de determinados debates, ou como informantes históricos de seus contextos de análise. Essa perspectiva rivaliza com os trabalhos provenientes de programas de ciências sociais que, em sua grande maioria, operam com autores teóricos como interlocutores ou como objetos de pesquisa. Seria necessário um cruzamento detalhado entre as bibliografias desses trabalhos, das bibliografias recorrentes dos cursos frequentados por esses pós-graduandos e uma leitura apurada de como é articulada uma compreensão do que seja "teoria", nesse universo, para observar com segurança como esta outra variável opera ali. A economia do tempo e a falta de informações mais detalhadas sobre esses autores impedem esse tipo de procedimento no presente texto.

Assim, não apenas *tempo* (corte cronológico) ou a importância de um debate teórico aparecem como aspectos indefinidos, ou como elementos de um princípio heurístico, dessas propostas analíticas. De forma semelhante, a maior parte dos trabalhos não se preocupa ou não acha relevante qualquer definição acurada do contexto (ordem espacial) com o qual pretende lidar. De fato, a maioria nem mesmo menciona esse aspecto.

A rigor, pouquíssimos trabalhos (apenas cerca de 12%) lidam com a variável espacial como um elemento relevante, como um elemento que concorre no argumento explicativo. Os demais, novamente, consideram o recorte espacial como um dado natural ou irrelevante. Tanto quanto na circunstância da variável "tempo", um leitor atento dos projetos deduz o contexto espacial a partir dos objetos. Usando esse expediente, vemos que 87% dos trabalhos se referem a temas genericamente associáveis ao Brasil. Associáveis, novamente, no sentido que "espaço" não concorre como princípio heurístico do campo, mas apenas pela compreensão tácita de que o fato de estudar determinado aspecto da obra de Fernando Henrique Cardoso ou um dado conceito em Oliveira Vianna naturalmente circunscreve a investigação ao Brasil. Do total de trabalhos associáveis ao Brasil, quase 20% incidem sobre temas regionais (Amazônia, Bahia ou Rio de Janeiro) e, uns poucos, referem-se à América Latina. Aqueles poucos que consideram espaço como variável relevante propõem análises comparativas (entre autores, obras ou tradições disciplinares), que remetem a *espaços* diferentes.

Observar o *contexto* ajuda, por contraste, a considerar outra circunstância. Em primeiro lugar, entre as rotinas reflexivas do que se convencionou chamar de pensamento social nas ciências sociais brasileiras, está o mandato de revisitar o pensamento sobre Brasil e, ulteriormente, a compreender o Brasil. É um duplo movimento, da nação como metáfora (lida a partir do objeto de outrem) e como objeto da pesquisa. Além disso, ajuda a ver que trabalhos que lidam com temas locais/regionais e aqueles poucos que se dedicam a refletir sobre produção de pensamento social na América Latina não podem evitar tanto a considerar o *contexto*. Já aqueles trabalhos que lidam com autores canônicos da disciplina — Bourdieu, Durkheim, Weber etc. — e mesmo em esforços "comparativos" — a influência de algum autor canônico na obra de algum autor periférico — são os mais avessos a considerar "espaço", "contexto" ou "lugar" como variáveis heuristicamente relevantes. Afinal, a teoria é construída por atributos da ubiquidade: é desterrada e, por isso, universal e atemporal por excelência.

Entre os temas e subtemas dos trabalhos, os mais abordados são *histórias intelectuais, trajetórias disciplinares* (de ciências sociais e ciência política), *publicações* (revistas, jornais e obras específicas de determinados autores), *nação, literatura, política, educação e ensino* e outros, tomados a partir de análises sobre *categorias analíticas, periódicos e publicações,* exegese de *formas discursivas,* análises *prosopográficas* (sobre trajetória de personagens específicos: intelectuais, escritores e artistas) etc. Houve também uma ocorrência menor de temas associados a efemérides e discussões pujantes na sociedade contemporânea — como alguns trabalhos dedicados a análises sobre *militares e ditadura,* redemocratização ou sobre *elites* — em contraste com uma presença não tão marcante de trabalhos sobre relações raciais e negro, tema clássico da agenda do pensamento social.

O tema dos trabalhos é uma variável que se valeria positivamente de um olhar mais detalhado, cruzando, por exemplo, os temas com as instituições de origem (com a expectativa de examinar se determinados programas de pós-graduação concentram mais trabalhos sobre determinada temática ou abordagem), ou mesmo temas e gênero dos autores/as dos projetos. Nesse último caso, poderíamos considerar se há uma divisão hierárquica de gênero/autoria entre temas considerados clássicos, centrais ou mais importantes, por excelência, *versus* aqueles considerados menos relevantes ou centrais para o debate sobre pensamento social.

Conclusões

Então, sobre o que fala este universo de pouco mais de 100 trabalhos recentes e cerca de 90 autores/as de pós-graduação a respeito do pensamento social no Brasil?

Fala que, no Brasil, a agenda do pensamento social continua interessada, primordialmente, no Brasil, e num Brasil do século XX. Esse enquadramento mais geral é observado a partir de *histórias e trajetórias intelectuais*, dos caminhos da própria disciplina, dedicados a pensar aspectos muito idiossincráticos da agenda sociológica (como categorias analíticas ou formas discursivas), tanto quanto a refletir sobre a nação, a partir de publicações e trajetórias exemplares, por exemplo.

Mas será relevante observar um universo tão restrito? Qual a representatividade desses dados diante do quadro geral dos estudos sobre pensamento social no Brasil?

Esses textos (projetos por iniciar ou em andamento, textos de qualificação e capítulos de tese) revelam tanto dos interesses de pesquisa de uma nova geração de intelectuais que se forma quanto falam sobre suas instituições e áreas temáticas de inserção. O peso e a marca das instituições aparecem muito visíveis no produto final das dissertações e teses, bem como nas qualidades do profissional. Daí parecer equivocada a máxima que sempre repetimos a nós mesmos e a nossos alunos: de que, não importa onde for fazer a pós-graduação, considerando a área de interesse, determinadas temáticas e autores deverão ser invariavelmente lidos, determinados pressupostos metodológicos invariavelmente atendidos e certos debates teóricos devem ser cobertos.

Analisar trajetórias, interesses e rotinas de docência e prioridades institucionais de construção de capacidades intelectuais ajuda a compreender melhor o perfil desses novos profissionais. Do ponto de vista metodológico, da organização e abordagem de temas e argumentos, muitos projetos sugerem fragilidades estruturais. Prioridades e rotinas metodológicas de investigação, *tempo* e *espaço* como categorias pouco relevantes no estudo sobre o pensamento social, ao mesmo tempo que o interesse por gerar contribuições teóricas também aparece de maneira desigual.

Não obstante essas fragilidades, esses alunos parecem atentos às pressões de novos modelos de trajetória profissional. Considerando a importância de apresentar trabalhos em seminários e congressos, e publicar resultados parciais.

Em 2013 e 2014 circulamos questionários eletrônicos entre os pós-graduandos que apresentaram trabalhos no Ateliê, ao longo desses quatro anos. Nosso objetivo era avaliar prós e contras do formato do evento e seu impacto nos trabalhos e na carreira desses profissionais, bem como corrigir a trajetória do Ateliê.

Tivemos uma recepção muito positiva dos participantes e reconhecemos que fomos capazes de produzir um espaço de diálogo continuado entre profissionais estabelecidos e jovens talentos. Mais de 85% desses sugeriram que o impacto do Ateliê na trajetória de seus trabalhos foi decisivo, ajudando a corrigir caminhos e a definir prioridade das pesquisas.

Em 2014, quase metade (47%) desses já havia concluído seus trabalhos de mestrado e doutoramento e avançado para outra fase de sua carreira. Pouco mais de 10% dos doutores haviam se tornado professores em universidades no Paraná, Goiás, São Paulo etc., enquanto outros embarcaram em pós-doutorados. Cerca de 40% dos trabalhos apresentados no Ateliê e concluídos nos anos sequentes foram publicados na forma de artigos, capítulos ou livros. Em geral, os questionários sugeriam que seus trabalhos ganharam qualidade e densidade com sugestões de procedimento metodológico, a revisão de conceitos empregados, a revisão de pré-projetos de doutorado, a incorporação de novas bibliografias e com o esforço de construir redes paralelas de interlocução com pós-graduandos de outras instituições brasileiras que lidavam com temas próximos.

Sobre os autores

SARI HANAFI
Doutor em sociologia pela EHESS (1994) e professor de sociologia da American University of Beirut (Líbano). Foi pesquisador e professor e é conselheiro de diversas instituições de pesquisa e fundações, entre elas o Arab Council of Social Sciences e a International Sociological Association, onde é o primeiro árabe a ocupar o cargo de vice-presidente. No mundo árabe, combina uma atuação como docente, pesquisador e intelectual público, particularmente ativo em questões da Palestina, nos campos de refugiados (onde viveu por 25 anos) e na estruturação do campo das ciências sociais no contexto árabe-islâmico. Publicou vários artigos e capítulos, além de mais de 13 livros, sendo o mais recente *Arab research and knowledge society: an impossible promise*, escrito com Rigas Arvanitis, 2014.

ELOÍSA MARTÍN
Doutora em antropologia social pelo Museu Nacional (2006) e professora de sociologia da UFRJ. Foi pesquisadora do Conicet (2006-09), professora de sociologia da UnB (2008-10), de onde é pesquisadora associada. É atenta à importância dos processos de institucionalização da disciplina, sendo colaboradora, conselheira e participante de diversas associações — International Society for the Sociology of Religion, da Associação de Cientistas Sociais da Religião no Mercosul, da International Sociological Association, onde é membro do Board. Foi editora dos periódicos *Ciencias Sociales y Religión/Ciências Sociais e Religião* (1999-2010) e *Sociedade & Estado* (2008-11) e da *Current Sociology* (2010-presente). Atualmente, desenvolve atividades de pesquisa e ensino sobre escrita acadêmica e publicação internacional, sobre o que publicou: El karma de vivir al Sur. Interlocuciones y dependencia académica en las ciencias sociales de América Latina. In: SUAREZ, Hugo; PIRKER, Cristina (Org.). *Sociólogos y su sociología*. Experiencias en el ejercicio del oficio en México. México, DF, 2014.

MÁRIO AUGUSTO MEDEIROS

Doutor em sociologia pela Unicamp (2011). Professor de sociologia da Unicamp. Tem experiência na área de sociologia, com ênfase em teoria sociológica, atuando principalmente nos seguintes temas: pensamento social brasileiro, literatura e sociedade, intelectuais negros. Em 2013, recebeu o Prêmio para Jovens Cientistas Sociais de Língua Portuguesa, do Centro de Estudos Sociais da Universidade Coimbra, e, em 2012, a Menção Honrosa do concurso de Teses da Anpocs. É autor de diversos artigos, capítulos e livros, sendo o mais recente *A descoberta do insólito: literatura negra e literatura periférica no Brasil (1960-2000)*, pela editora Aeroplano, 2013.

WANDER MELO MIRANDA

Doutor em literatura brasileira pela USP (1987). Professor titular de teoria da literatura na Universidade Federal de Minas Gerais e diretor da Editora UFMG. Professor visitante em universidades da Argentina, Estados Unidos, Inglaterra, Itália, Uruguai. Coordenador do projeto Acervos de Escritores Mineiros (UFMG). Autor dos livros *Corpos escritos: Graciliano Ramos e Silviano Santiago* (Edusp, 1992, 2. ed. 2009; trad. chilena *Cuerpos escritos*, 2002), *Graciliano Ramos* (PubliFolha, 2004), *Nações literárias* (Ateliê, 2010); organizou os volumes *Narrativas da modernidade* (1999), *Arquivos literários* (em coautoria, 2001), *Crítica e coleção* (em coautoria, 2011), entre outros. Em 2012 publicou *Cyro e Drummond: correspondência entre Cyro dos Anjos e Carlos Drummond de Andrade*, coorganizado com R. Said, pela editora Globo, 2012.

JUAN PIOVANI

Doutorado pela Universita di Roma "La Sapienza" (2004) e professor de sociologia da *Universidad de la Plata* (Argentina). Possui trânsito internacional ativo, como conferencista e professor visitante em várias universidades, na Europa, América do Norte e do Sul. É especialista na história dos métodos, particularmente no debate sobre a relevância das estatísticas para as ciências sociais. Autor de diversos trabalhos sobre o tema, entre eles o livro *Alle origini della statistica moderna: la scuola inglese di fine ottocento* (2006), e *Metodología de las ciencias sociales* (2007), junto com A. Marradi e N. Archenti.

CLÁUDIO COSTA PINHEIRO

Doutor em antropologia social pelo Museu Nacional (2005) e diretor do Sephis Programme/UFRJ (South-South Exchange Programme for the Research on the History of Development). Tem interesse no debate sobre colonialismo e pós-colonialismo e seus efeitos na história da circulação de ideias e na geopolítica da produção de conhecimento. Foi professor e/ou pesquisador visitante no Japão (2001-02), Portugal (2003), Índia (2005-06), Holanda (desde 2003) e Alemanha (2012-13). É autor de "Por uma estética do antiexótico", prefácio de *A Índia desde 1980* (Apicuri, 2014); "Brics nas ciências sociais — para que serve? modernidade, desenvolvimento e suas geografias imaginárias", *em Desafios sociais, políticos e culturais dos Brics* (Anpocs, 2014) e *"Las muchas encarnaciones de Tagore y los escritos de su espíritu"*, em Entgangenes Wissen. Verständigungswissen Süd-Süd: Indien — Lateinamerika (Vervuert, Frankfurt, 2015).

Anexo

Ateliê do Pensamento Social

Programas e participantes, 2011-14

Pensamento Social Brasileiro, agendas e questões de pesquisa
1º Ateliê do Pensamento Social — 26 de agosto e 2 de setembro de 2011

26 de agosto	
Conferência Inaugural Lúcia Lippi Oliveira (CPDOC)	O que é o campo do pensamento social?
Mesa 1 André Botelho (UFRJ) Ricardo Benzaquen (PUC-RJ)	Estudando textos do pensamento social brasileiro: estratégias de leitura
Mesa 2 Angela Alonso (USP/Cebrap) Nísia Lima (Fiocruz)	Estudando trajetórias de intelectuais: fontes, arquivos e questões de pesquisa
2 de setembro	
Mesa 3 Bernardo Buarque de Hollanda Helena Bomeny	Sessões de discussão dos projetos de pesquisa
Mesa 4 Cláudio Costa Pinheiro João Marcelo Maia	Sessões de discussão dos projetos de pesquisa

Abordagens transnacionais: ideias em perspectiva global
2º Ateliê do Pensamento Social — 30 e 31 de agosto de 2012

30 de agosto	
Conferência Inaugural Sujata Patel (U. Hyderabad, Índia)	Descentrando a teoria social Diferentes histórias e tradições sociológicas
Mesa 1 Elias Palti (U. de Quilmes, Argentina) Maurício Tenório (U. Chicago, EUA)	Estudando ideias no contexto americano
Mesa 2 Lilia Schwarcz (USP, Brasil) Cherry Schreker (U. Nancy, França)	Diálogos atlânticos — migração de ideias e formas culturais
31 de agosto	
Mesa 3 Bernardo Buarque de Hollanda Bernardo Ricúpero (USP) Antonio Brasil	Sessões de discussão dos projetos de pesquisa
Mesa 4 Cláudio Costa Pinheiro João Marcelo Maia	Sessões de discussão dos projetos de pesquisa

Textos Literários: das fontes de pesquisa aos métodos de leitura
3º Ateliê do Pensamento Social — 30 e 31 de agosto de 2013

22 de agosto	
Conferência Inaugural	
Mesa 1 Roger Chartier (Collège de France) Marcos Antônio de Moraes (IEB/USP)	História intelectual e literatura epistolar — como estudar por meio de cartas e de arquivos literários
Mesa 2 Berthold Zilly (U. Livre de Berlim) Bruno Gomide (USP)	Tradição e tradução do romance — como ler *Anna Karenina* e *Grande sertão: veredas*?
23 de agosto	
Mesa 3 Cláudio Pinheiro (CPDOC/FGV)	Financiamento da produção de conhecimento — reflexões sobre a circulação internacional de recursos e dicas de obtenção de recursos de pesquisa
Mesa 4 Antônio Herculano (Casa de Rui Barbosa) Leopoldo Waizbort (USP)	Sessões de discussão dos projetos de pesquisa Explorando a fronteira pensamento social/literatura
Mesa 5 Valter Sinder (PUC) João Cezar de Castro Rocha (Uerj)	Sessões de discussão dos projetos de pesquisa Explorando a fronteira pensamento social/literatura

Práticas e textualidades: pensando a pesquisa e
a publicação em ciências sociais
4º Ateliê do Pensamento Social — 11 e 12 de setembro de 2014

11 de setembro	
Conferência Inaugural Sari Hanafi (U. Americana de Beirute, Líbano)	Pesquisa e sociedade do conhecimento: um compromisso impossível
Mesa 1 Juan Piovani (U. de La Plata, Argentina) Mário A. Medeiros da Silva (Unicamp, Brasil)	Métodos e fazeres: história e prática
Mesa 2 Wander Melo (UFMG) Eloísa Martín (UFRJ)	Manuscritos e impressos: reflexões sobre publicações
12 de setembro	
Mesa 3 Wander Melo Mário Augusto Medeiros da Silva Cláudio Pinheiro (mediação)	Sessões de discussão dos projetos de pesquisa
Mesa 4 Eloísa Martín Juan Piovani João Maia (mediação)	Sessões de discussão dos projetos de pesquisa

Biodata dos palestrantes

2011

LUCIA LIPPI

Doutorado em ciência política, USP (1992). Foi professora e diretora do CPDOC. Lidou com pensamento social brasileiro, produção intelectual, construções de identidade nacional, memória e patrimônio. É autora de: *A sociologia do guerreiro* (Ed. UFRJ, 1995); *Americanos: representações da identidade nacional no Brasil e nos EUA* (Ed. UFMG, 2000).

ANDRÉ BOTELHO

Doutor em ciências sociais pela Unicamp (2002) e professor de sociologia da UFRJ. Tem experiência na área de sociologia, com ênfase em pensamento social brasileiro e teoria social comparada. Pesquisador do CNPq, membro do comitê editorial de *Sociologia & Antropologia* (PPGSA/UFRJ), do Conselho da SBPC e da Diretoria da SBS. É autor e organizador de diversos livros fundamentais do campo do pensamento social, entre eles: (Org.) Essencial sociologia (Penguin; Companhia das Letras, 2013); *De olho em Mário de Andrade: uma descoberta intelectual e sentimental do Brasil* (Claroenigma, 2012); *O Brasil e os dias. Estado-nação, modernismo e rotina intelectual* (Edusc, 2005).

RICARDO BENZAQUEN DE ARAÚJO

Doutor, Museu Nacional (1993) e professor do departamento de História da PUC-RJ. É membro do corpo editorial da *Revista do IEB* e da *Tempo Social* e editor de ciências humanas da revista *Ciência Hoje*. Foi pesquisador do CPDOC e do Iuperj. Tem experiência nas áreas de história, antropologia e sociologia, com ênfase em teoria da história, teoria sociológica, e pensamento social no Brasil, atuando principalmente nos seguintes temas: Gilberto Freyre, Joaquim Nabuco, modernismo e história no Brasil e elaboração da subjetividade e ciências sociais. É autor de: *Guerra e paz — Casa-grande & senzala e a obra de Gilberto Freyre nos anos 30* (Ed. 34, 1994); e coorganizador de *Raízes do Brasil*, de Sérgio Buarque de Holanda (Companhia das Letras, 2006).

ANGELA ALONSO

Doutora em sociologia, USP (2000) e livre-docente do Departamento de Sociologia da USP, diretora científica do Cebrap, e pesquisadora do CNPq PQ-2. Suas pesquisas e publicações se concentram na investigação das relações entre cultura e ação política e dos movimentos políticos e intelectuais. É autora e organizadora de: *Joaquim Nabuco — os salões e as ruas* (Companhia das Letras, 2007) e (Org.) *Joaquim Nabuco na República* (Hucitec, 2012).

NÍSIA LIMA

Doutora em sociologia, Iuperj (1997) e professora da Casa de Oswaldo Cruz (Fiocruz) e de Sociologia na Uerj. Coordenadora do GT de pensamento social da Anpocs, membro de conselhos editoriais dos periódicos: *Revista Brasileira de História da Ciência*; *História, Ciências, Saúde-Manguinhos*; *Caderno de História da Ciência* (Instituto Butantan); *Escritos* (Fundação Casa de Rui Barbosa). Suas áreas de pesquisa e ensino são história da ciência e da saúde, em especial das ciências sociais, e pensamento social brasileiro. Realiza atualmente pesquisa sobre os seguintes temas: ciência e pensamento social no Brasil; história das ideias em saúde pública; o sertão no pensamento brasileiro; história das ciências sociais em saúde. É autora de *Um sertão chamado Brasil* (Revan; Iuperj, 1999).

2012

SUJATA PATEL

Doutorado pela Universidade de Jawaharlal Nehru (1984) e professora de sociologia da University of Hyderabad (Índia). Entre 1983-91 foi pesquisadora independente integrando vários projetos em Ahmadabad, Bombaim e Délhi e foi pesquisadora associada ao Nehru Memorial (Délhi) e à University Grants Commission (maior agência pública de financiamento a pesquisa da Índia). Entre suas principais publicações estão: *The ISA handbook of diverse sociological traditions* (Sage, 2010); *Urban studies. Readers in sociology and social anthropology* (coeditora) (OUP, 2006); *Bombay and Mumbai. The city in transition* (coeditora com Jim Masselos) (OUP, 2003).

ELIAS PALTI

Doutorado, Ucla (1996), professor da Universidade Nacional de Quilmes, na Universidade Nacional de Buenos Aires e pesquisador do Conicet. É um dos maiores especialistas em história intelectual latino-americana, tendo publicado: *Mito y realidad de la "cultura política latinoamericana"* (edição e introdução) (Prometeo, 2010); *La nación como problema. Los historiadores y la "cuestión nacional"* (FCE, 2003); *Giro lingüístico e historia intelectual* (Universidad Nacional de Quilmes, 1998).

MAURICIO TENÓRIO

Doutorado, Stanford (1992), professor titular e diretor do Centre for Latin American Studies, Chicago. Entre suas principais publicações, estão: *Mexico at world's fairs: crafting a modern nation* (The University of California Press, 1996); *Argucias de la historia: del siglo XIX, América Latina y cultura* (Editorial Paidós, 1999); *Culturas y memoria* (Tusquets, 2012); "The riddle of a common history: the united status in Mexican textbooks controversies", *Context*, v. 1, n. 1, p. 103-131, Spring 2009;"On monolingual fears", *Public Culture*, v. 19, n. 3, p. 425-432, 2007. O professor Tenório é especialista em história cultural e se interessa fundamentalmente pela moderna América Latina.

LILIA SCHWARCZ

Professora titular da Universidade de São Paulo (2005), editora da Companhia das Letras, membro do conselho da *Revista da USP*, da *Revista de História da Biblioteca Nacional*, da *Revista Etnográfica* (Lisboa) e da revista *Penélope* (Lisboa). Foi professora visitante e pesquisadora nas universidades de Leiden, Oxford, Brown, Columbia (*tinker professor*) e Princeton. Entre suas principais publicações, encontram-se os livros *O sol do Brasil: Nicolas-Antoine Taunay e as desventuras dos artistas franceses na corte de d. João* (Companhia das Letras, 2009); *As barbas do imperador: d. Pedro II, um monarca nos trópicos* (Companhia das Letras, 1998); e *O espetáculo das raças: cientistas, instituições e pensamento racial no Brasil (1870-1930)* (Companhia das Letras, 1993).

CHERRY SCHREKER

Professora na Universidade de Nancy. Seu doutorado, pela Universidade Marc Bloch (Estrasburgo), versava sobre o conceito de comunidade nas sociologias americana e britânica. Lecionou nas Universidades de Mertz (1998-2001) e Perpignan (2001-02), é membro do Comitê Executivo do grupo de pesquisa em história da sociologia da ISA. Entre suas principais publicações, estão *Transatlantic voyages and sociology, the migration and development of ideas* (Ashgate, 2010); *Contribution à la sociologie de l'action: Alfred Schütz* (Hermann, 2009); o artigo "Textbooks and sociology: a Franco-British comparison", *Current Sociology*, v. 56, n. 2, mar. 2008. Cherry Schreker é especialista em história da sociologia e vem sendo uma das principais divulgadoras da abordagem transnacional da disciplina.

2013

ROGER CHARTIER

Historiador, vinculado à historiografia da *École des Annales*. É especialista na história do livro, da edição e da leitura. É formado na École Normale Supérieure e na Sorbonne, tendo sido também professor em ambas as instituições. Desde 2006, leciona no Collège de France, na cadeira "Escrita e cultura na Europa moderna". No interior da história cultural, tem-se dedicado a examinar teórica e conceitualmente as noções de "práticas", "representações" e "apropriação". É organizador da obra *La correspondance: les usages de la lettre au XIXe siècle* (1991), bem como autor de inúmeros livros, muitos deles traduzidos no Brasil, entre os quais: *Les origines culturelles de la Révolution Française* (1999) e *Histoire de la lecture dans le monde occidental* (2001).

MARCO ANTONIO DE MORAES

Doutor em literatura brasileira pela USP (2002), pesquisador e docente do IEB/USP. Tem experiência na área de letras, com ênfase em historiografia literária brasileira, desenvolvendo pesquisas nos seguintes campos: epistolografia brasileira, memorialismo brasileiro, modernismo brasileiro, obra de Mário de Andrade, crítica genética e textual. Membro da Equipe Mário de Andrade, no Instituto de Estudos Brasileiros.

BERTHOLD ZILLY

Docente aposentado da Universidade Livre de Berlim e da Universidade de Bremen, é professor visitante da Universidade Federal de Santa Catarina (UFSC), onde prepara a versão alemã de *Grande sertão: veredas*, para a editora Hansel, de Munique. Doutor em literaturas neolatina e alemã. Especializado em tradução, verteu para o alemão obras como *Os sertões*, de Euclides da Cunha, *Lavoura arcaica*, de Raduan Nassar, *Memorial de Aires*, de Machado de Assis, *Triste fim de Policarpo Quaresma*, de Lima Barreto, *Confissão de Lúcio*, do português Mario de Sá-Carneiro, e *Civilización y barbarie*, do argentino Domingo Sarmiento.

BRUNO GOMIDE

Doutor em teoria e história literária pela Unicamp e professor de literatura e cultura russa da USP. Foi pesquisador visitante no Instituto Górki de Literatura Mundial (Moscou, 2009) e no departamento de eslavística da Universidade de Glasgow (2012). Realizou cursos e estágios nas Universidades de Cambridge (Inglaterra), Illinois e Indiana (Estados Unidos), Linguística de Moscou e em São Petersburgo. É criador e coordenador do grupo de literatura russa da Abralic. É autor de: *Antologia do pensamento crítico russo (1802-1901)* (Ed. 34, 2013); *Nova antologia do conto russo (1792-1998)* (Ed. 34, 2012); *Da estepe à caatinga: o romance russo no Brasil (1887-1936)* (Edusp, 2011).

CLÁUDIO PINHEIRO

Doutor em antropologia pelo Museu Nacional (2005) e diretor do Sephis Programme (ligado ao Ministério das Relações Exteriores da Holanda). Transita entre a antropologia, história e sociologia e seu foco reside na investigação sobre colonialismo, pós-colonialismo e aspectos da institucionalização do poder, comparando sudeste asiático e Brasil. Foi professor-pesquisador associado e visitante no Japão, Portugal, Índia e Holanda. Foi bolsista do CNPq, Ford Foundation, Sephis Programme. Participa do conselho editorial do periódico *Global South* e de várias entidades de pesquisa e de associações científicas. É autor de: Blurred boundaries. Slavery, unfree labour and the subsumption of multiple social and labor identities in India. In: VAN DER LINDEN, Marcel; MOHAPATRA, Prabhu (Org.). *Labour matters:* towards global histories.

Studies in honour of Sabyasachi Bhattacharya. Nova Deli: Tulika, 2009; The global south — debates on the relevance of a concept. In: SEN, Samita; GHANI, Kashshaf (Org.). *Exploring the global south*. Calcutá: Sephis, 2013. v. 1, p. 55-61.

ANTÔNIO HERCULANO
Doutor em estudos de performance pela New York University (1999), Herculano é pesquisador titular em história da Fundação Casa de Rui Barbosa. Tem experiência nas áreas de patrimônio, teatro e história, com ênfase em história cultural e social do Brasil (Segundo Reinado e Primeira República), atuando principalmente nos seguintes temas: Rio de Janeiro, identidade cultural, cultura popular e erudita, história das sensibilidades, teatro e outras performances. É autor de *Religião e performance ou as performances das religiões brasileiras* (Rio de Janeiro: Casa de Rui Barbosa, 2007) e Do cancã ao maxixe: a decadência do teatro nacional. *Revista do IHGB*, v. 174, 2014.

LEOPOLDO WAIZBORT
Doutorado (1993) e livre-docente (2003) pela Universidade de São Paulo (USP), onde é professor titular. Trabalha na área de sociologia, com ênfase em teoria sociológica, sociologia da cultura, história da sociologia, antropologia histórica e sociologia da música. Ademais de vários artigos e capítulos de livro, publicou, *As aventuras de Georg Simmel* (São Paulo: Editora 34, 2000); *A passagem do três ao um. Crítica literária — sociologia — filologia* (São Paulo: Cosac Naify, 2007); e organizou o volume *A ousadia crítica — ensaios para Gabriel Cohn* (Rio de Janeiro: Beco do Azougue, 2008; segunda edição da original, publicada em 1998).

VALTER SINDER
Doutor em letras pela PUC-Rio (1992), Sinder é professor associado da Uerj e da PUC-Rio. Tem experiência na área de antropologia, com ênfase em teoria antropológica, literatura e pensamento social brasileiro. É autor de *Configurações da narrativa: verdade, literatura e etnografia* (2002) e O fazer etnográfico: entre práticas e representações da violência. In: ARAÚJO, Maria Celina (Org.). *Redemocratização e mudança social no Brasil* (Rio de Janeiro: FGV Editora, 2014).

JOÃO CEZAR DE CASTRO ROCHA

Professor Associado da Uerj, onde recebeu o doutorado em 1997. Possui um segundo doutorado na Universidade de Stanford, em 2002. Pesquisou estratégias de apropriação cultural, com destaque para as obras de Oswald de Andrade e Fernando Ortiz. Tem experiência na área de Letras, com ênfase em literatura brasileira e literatura comparada. Publicou 37 livros (entre volumes autorais e organizados), quase 60 artigos completos em periódicos, ademais de 85 capítulos de livros.

2014

SARI HANAFI

Professor de sociologia da American University of Beirut (Líbano). Membro do conselho de diversas associações e fundações, entre elas a International Sociological Association e o Arab Council of Social Sciences. É autor de vários artigos e de 13 livros e intelectual público relevante no mundo árabe.

JUAN PIOVANI

Professor de sociologia da Universidad de la Plata (Argentina). Possui trânsito internacional ativo, como conferencista e professor visitante em vários lugares. É especialista na história dos métodos, particularmente no debate sobre a relevância das estatísticas para as ciências sociais; autor de diversos trabalhos sobre o tema.

MÁRIO AUGUSTO MEDEIROS

Professor de sociologia da Unicamp. Lida com teoria sociológica, principalmente a partir do pensamento social brasileiro, literatura e sociedade, intelectuais negros. É autor de diversos artigos e livros, sendo o mais recente *A descoberta do insólito: literatura negra e literatura periférica no Brasil (1960-2000)*, pela editora Aeroplano, 2013.

WANDER MELO

Professor titular de teoria da literatura na Universidade Federal de Minas Gerais e diretor da Editora UFMG. Professor visitante em universidades da Argentina, Estados Unidos, Inglaterra, Itália, Uruguai. Autor de diversos artigos e livros, sendo o mais recente: *Cyro e Drummond: correspondência entre Cyro dos Anjos e Carlos Drummond de Andrade*, com R. Said, pela editora Globo, 2012.

ELOÍSA MARTÍN

Professora de sociologia da UFRJ. É editora da revista *Current Sociology* e membro do conselho da International Sociological Association. Atua na área de sociologia e antropologia da religião e sobre ensino sobre escrita acadêmica e publicação internacional. Publicou recentemente: El karma de vivir al Sur. Interlocuciones y dependencia académica en las Ciencias Sociales de América Latina. In: SUAREZ, Hugo; PIRKER, Cristina (Org.). *Sociólogos y su sociología. Experiencias en el ejercicio del oficio en México*. Mexico DF, 2014.

Esta obra foi produzida nas
oficinas da Imos Gráfica e Editora na
cidade do Rio de Janeiro